149

I GRANDI

TASCABILI BOMPIANI

Di Alberto Moravia
nei "Tascabili Bompiani"

LA MASCHERATA
AGOSTINO
LA ROMANA
LA DISUBBIDIENZA
GLI INDIFFERENTI
L'AMORE CONIUGALE
IL CONFORMISTA
I RACCONTI 1927-1951
RACCONTI ROMANI
IL DISPREZZO
RACCONTI SURREALISTI E SATIRICI
LA CIOCIARA
NUOVI RACCONTI ROMANI
LA NOIA
L'AUTOMA
LE AMBIZIONI SBAGLIATE
L'UOMO COME FINE
L'ATTENZIONE
IO E LUI
A QUALE TRIBÙ APPARTIENI?
BOH
LA BELLA VITA
LA VITA INTERIORE
1934
L'INVERNO NUCLEARE
LA COSA
L'UOMO CHE GUARDA

IL VIAGGIO A ROMA

di Alberto Moravia

BOMPIANI

ISBN 88-452-1593-8

Via Mecenate, 91 - Milano

I edizione "I Grandi Tascabili" agosto 1990

CAPITOLO PRIMO

IL VIAGGIO A ROMA

Durante il volo ho aperto a caso il volume delle poesie di Guillaume Apollinaire; i miei occhi sono caduti su un verso: "Eccoti a Roma seduto sotto un nespolo del Giappone" e ho preso a fantasticare: perché un nespolo del Giappone? Che aveva a che fare con Roma quell'albero asiatico? E poiché Apollinaire era il mio modello e la mia guida, che cosa avrebbe significato nella mia vita, una volta arrivato a Roma, il nespolo del Giappone?

Ho fantasticato, fantasticato; quindi mi sono assopito e ho dormito, dormito. Negli ultimi tempi, a Parigi, avevo sofferto di insonnia; la notte, mi svegliavo di soprassalto e prendevo subito a pensare al viaggio a Roma. Mi pareva un viaggio assurdo, con un falso scopo, la ricerca di mio padre, che ne nascondeva un altro, vero e autentico, il quale, però, mi sfuggiva. Era vero che al telefono, l'uomo che si diceva mio padre, aveva accolto la notizia del mio arrivo, a dire poco, con entusiasmo; ma era proprio questa accoglienza imprevista e sorprendente che mi ispirava una diffidenza quasi irritata. Perché chiamarmi: "Figlio mio carissimo", dopo un silenzio completo durato quasi quindici anni? E che cosa voleva dire la frase: "La tua famiglia ti aspetta", detta da chi sapeva benissimo che la mia famiglia era ormai quella dello zio che, alla morte di mia madre, mi aveva accolto generosamente nella sua casa di Parigi e mi aveva allevato come un figlio insieme con i suoi due figli, Paolo e Silvia? E infine perché questo misterioso, completo estraneo aveva persino voluto accollarsi le spese del mio viaggio, facendomi pervenire senza indugio un biglietto aereo prepagato?

Dunque ho dormito, o meglio sono piombato in un dormiveglia durante il quale sentivo in confuso che stavo facendo qualche cosa che non avrei certamente fatto da sveglio. Avvertivo al mio fianco una presenza femminile insieme dolce e favorevole; premevo il braccio contro un gonfio e morbido seno; anzi col gomito ero riuscito ad isolare il capezzolo; e ora l'andavo strusciando con una insistenza che mi illudevo potesse apparire casuale. Mi rendevo conto che la donna che stavo così accarezzando era una totale straniera; tuttavia continuavo a fare consapevolmente e volontariamente ciò che all'inizio doveva essere stato inconscio e involontario. L'idea di un'avventura di viaggio non mi sfiorava neppure la mente; anzi sapevo di certo che appena mi fossi destato, avrei finto con la donna e con me stesso di avere soltanto sognato ciò che invece era stato qualche cosa che partecipava ugualmente del sogno e della realtà.

E infatti, appena mi sono svegliato, mi sono subito tirato indietro scusandomi. Da prima sono stato abbagliato dalla luce intensa del sole sul paesaggio rupestre e nevoso delle Alpi che stavamo sorvolando; poi, in un secondo momento, ho guardato la mia vicina. Ho visto un volto severo e magro, con qualche cosa di aquilino negli occhi stretti e neri, nel naso ricurvo, nelle labbra sinuose e sottili. Ho abbassato gli occhi: aveva la giacca aperta; per entro la trasparenza della camicetta bianca, ho riconosciuto il seno dalle forme esuberanti che durante il sonno mi ero lasciato andare ad accarezzare con tanta insistenza.

Sul sedile di fianco sedeva una ragazzina lunga e dinoccolata, coi capelli bruni spalancati a ventaglio ai due lati di un viso dall'ovale perfetto, come di bambola. Pur nel dormiveglia, l'avevo sentita incitare la mia vicina, che doveva essere sua madre ma che lei chiamava Jeanne, a scrollarsi una buona volta da me, respingendomi magari con uno spintone. Tutto questo, pronunziato con voce infantile e rude, in tono per niente benevolo. La madre aveva risposto, indulgente e ragionevole, che non se la sentiva di svegliarmi: dormivo così bene.

Ma ormai mi ero svegliato del tutto; mi sono di nuovo scusato; così è cominciata una conversazione da compagni di viaggio, oziosa e casuale, con il solito scambio di informazioni che, però, è durato poco perché, d'improvviso, Jeanne ha chiesto arditamente che cosa andavo a fare a Roma.

Ho pensato che era una domanda prematura e indiscreta, giustificata, però, dalla passività, per non dire complicità, dimostrata da lei poco fa, mentre, in sonno, l'andavo accarezzando; ma nello stesso tempo ho provato, chissà perché, un impulso irresistibile a confidarmi. Ho risposto candidamente: "Lei non ci crederà, vado a Roma a cercare mio padre."

"Perché non dovrei crederci? È una cosa molto giusta, molto naturale."

"Praticamente non lo conosco. Avevo cinque anni quando l'ho visto per l'ultima volta."

Mi guardava adesso fissamente e sorrideva un poco, in maniera forse ironica. Ho pensato che durante il sonno, i capelli mi si fossero scompigliati e li ho ravviati con la mano. Lei ha insistito: "E suo padre lo sa che lei viene a cercarlo?"

"Sì, lo sa, gli ho parlato per telefono."

"Ed era contento?"

"Molto."

Ho taciuto un momento poi ho soggiunto: "Chissà perché?"

"Come, chissà perché?"

"È stato quindici anni senza farsi vedere. Non riesco proprio a spiegarmi il suo entusiasmo."

"In che modo suo padre ha dimostrato il suo entusiasmo?"

"Anche in modo materiale: mi ha mandato il biglietto aereo prepagato. Altrimenti avrei viaggiato in treno."

"Lo vede che è un buon padre!"

"Sì, ma mi ha mandato soltanto il biglietto d'andata."

"Forse spera che lei si trattenga a Roma per sempre."

"Per telefono ha detto: io ritroverò un figlio, e tu un padre."

"Che bella frase! Lo vede che è davvero un buon padre! E lei come si chiama?"

"Mario."

"Mario che cosa?"

"Mario De Sio."

"Lei è italiano, ma parla francese come un francese."

"Sono praticamente bilingue."

"A parte suo padre, che cosa farà a Roma?"

"Come, che cosa farò?"

"Voglio dire: cosa fa lei di solito? Che cos'è? Studente?"

A questo punto avrei dovuto rispondere che, effettivamente, ero studente; invece, d'improvviso, in maniera ridicola, mi è venuto fuori qualche cosa che non avevo mai finora confidato a nessuno e che, per giunta, come si vedrà, non era neppure vero: "Faccio il poeta."

Mi aspettavo, speravo di farla ancora sorridere, indulgente anche se ironica. Invece ha detto, severa: "Il poeta? Come si può fare il poeta? E poi perché proclamarlo? Un poeta, le poesie le scrive ma non va in giro dicendo che fa il poeta."

Ho sentito che arrossivo e mi sono affrettato a correggere: "Veramente, io non scrivo poesie. Finora non ne ho scritta neppure una."

"Ma allora perché dice che fa il poeta?"

Mi rendevo conto che con questa domanda lei mirava a ciò che consideravo la giustificazione segreta e mai confessata della mia vita. Ancora un volta, però, l'impulso a confidarmi ha prevalso: "Non scrivo poesie, ma mi considero poeta perché mi identifico con un poeta che ha scritto tutte le poesie che io avrei voluto scrivere e, per giunta, infinitamente meglio di quanto io avrei potuto fare."

"E chi è questo poeta?"

Questa volta mi sono accorto che l'impulso a confidarmi cessava per una ragione che sentivo insormontabile. Il poeta col quale mi identificavo era Guillaume Apollinaire, ma non mi sentivo di ammetterlo perché, oltre ad avere scritto le poesie che io avrei voluto scrivere, aveva un altro tratto in comune con me: anche lui, praticamente, non aveva mai conosciuto suo padre. Ora io non avevo esitato a dire a Jeanne che andavo a Roma per cercare mio padre; ma mi vergognavo invece di ammettere che all'origine della ricerca non c'era tanto la nostalgia dell'orfano quanto l'identificazione dell'aspirante poeta con l'autore di *Alcools*. Mi pareva, questo, una specie di snobismo mimetico, come se mi fossi considerato poeta non soltanto perché Apollinaire aveva scritto le poesie che io avrei voluto scrivere ma anche perché, come me, non conosceva il proprio padre. Ho detto brevemente: "Non importa dire il nome."

L'ho vista lanciare uno sguardo al libro che avevo tra le mani: "Scommetto che è Guillaume Apollinaire?"

"Come ha fatto a capirlo? Questo è un libro qualsiasi."

"No, è un libro di poesie. Ci vuole una buona ragione per leggere in aereo un libro di poesie." È stata per un momento zitta, poi ha spiegato: "Per caso lei è capitato con una persona che conosce bene Apollinaire. Prima di stabilirmi in Italia, ho insegnato letteratura in Francia."

Ho voluto volgere in scherzo la conversazione: "Allora, visto che è così, mi dica perché Apollinaire ha scritto: 'Eccoti a Roma, sotto un nespolo del Giappone'. Perché un nespolo? Gli alberi di Roma non sono forse il pino, la quercia, il cipresso?"

Mi ha guardato interdetta. La figlia che pareva seguire il nostro dialogo con impazienza, è intervenuta: "Ma Jeanne, i giardini della nostra strada sono pieni di nespoli."

La madre, pur sempre severa, ha approvato in fretta:

"Già, è vero. Ma il punto non è questo. Mi scusi, ma perché lei si identifica con Apollinaire? Che vuol dire che ha scritto le poesie che avrebbe voluto scrivere lei? E poi Apollinaire viveva in un'epoca tutta diversa dalla sua; nel fisico era il contrario di lei, grasso e massiccio quanto lei è magro e longilineo. Perché l'identificazione? In realtà, lei vuol vantarsi di essere un poeta anche se non ha scritto poesie. Ecco il vero motivo della sua identificazione."

Parlava in tono aggressivo ma didattico; avvertivo la durezza dell'insegnante che rimprovera un allievo negligente. Ho cercato disperatamente un altro motivo di identificazione con Apollinaire; ho pensato al suo carattere quale si poteva desumere dall'opera: "Ho in comune con Apollinaire almeno una cosa."

"Quale?"

"La disponibilità. Leggendo Apollinaire, sono stato colpito dalla disponibilità, voglio dire, dalla sua disposizione ad accettare qualsiasi esperienza che gli offriva la vita."

"E allora?"

Mi sono improvvisamente confuso sotto il suo sguardo indagatore. Tuttavia ho aperto il libro di Apollinaire e ho letto ad alta voce: "Allora, ecco cosa scrive in questa poesia: 'Tu bevi questo alcool bruciante come la tua vita – la tua vita che tu bevi come un'acquavite'. Ebbene questo è ciò che chiamo disponibilità."

"Va bene, ma ancora una volta non vedo che ha a che fare questa disponibilità di Apollinaire con lei?"

"Un momento, ci vengo. Il mio carattere principale, per non dire difetto, è appunto la disponibilità. Cosa crede che mi abbia spinto a venire a Roma? Davvero che sentivo il bisogno di conoscere mio padre? Mai più. È stata la mia disponibilità, diciamo pure, quasi morbosa, a farmi partire; mi sono detto: ho un padre, non sono mai stato a Roma, dunque parto per vedere mio padre e Roma, poi si vedrà. E sono partito."

Mi ero eccitato parlando della disponibilità. Ha osservato con qualche cattiveria: "In tutti i casi le piace molto parlare di se stesso."

Ho sentito che arrossivo di nuovo: "È lei che mi ha fatto parlare di me stesso. Chissà perché, poi."

Ha protestato con benevolo, lusinghiero calore: "Chissà perché! Quanta modestia! Ma non si rende conto che non capita tutti i giorni di incontrare in aereo qualcuno che dice che va in cerca di suo padre e che è un poeta ma non ha mai scritto poesie!"

La figlia ha osservato malignamente: "E che non sa che a Roma ci sono tanti nespoli del Giappone!"

Ad un tratto la voce impersonale della hostess ha preso a fare le solite raccomandazioni dell'atterraggio: allacciare le cinture, raddrizzare le spalliere, non fumare ecc. ecc. La figlia ha ripreso, fissando su sua madre e me il curioso, immobile sguardo, tra cupido e assonnato dei grandi occhi scuri: "Jeanne, è giunto il momento di dare il nostro indirizzo e il nostro numero di telefono al signor Mario. Così potrete rivedervi e continuare con più tranquillità la vostra interessante conversazione."

La madre non si è offesa per la rude ironia di queste raccomandazioni. Ha mostrato invece, sia pure scherzosamente, quasi della gratitudine per l'opportuno consiglio: "Sì, certo, buon'idea. Approfitteremo della sua disponibilità. Ecco, le do l'indirizzo e il numero." Sollecita, precisa, ha tirato fuori dalla borsa il taccuino e la penna, ha scritto, mi ha teso il foglietto. "Anche mia figlia ed io siamo disponibili. Almeno dentro certi limiti."

Adesso l'aereo andava abbassandosi con scosse e sussulti; e invece del cielo finora vuoto e sereno della grande altezza, si poteva vedere, attraverso gli oblò, una nuvolaglia bianca e stracciata fuggire rapidamente lungo le ali. Un silenzio profondo era succeduto al fragore dei motori. La figlia continuava a covarmi con sguardo fisso e pesante. Poi ha detto: "Jeanne non mi ha presentata. Eppure ho un nome. Mi chiamo Alda."

Ho accennato un inchino col capo. Mi ha avvertito: "Non devi credere che non teniamo a vederti. Anzi, al contrario, ci teniamo molto."

Vedevo attraverso l'oblò il verde torbido della campagna stendersi nella luce bassa del tramonto, coi bianchi nastri delle strade che lo attraversavano in tutte le direzioni. Sui nastri, quasi con il senso di nausea che ispira lo spettacolo di un formicaio, potevo seguire l'andirivieni incessante delle macchine. Ero imbarazzato dagli sguardi di Alda, da quel "tu" improvviso. Lei ha proseguito, imperterrita: "Ci teniamo anche perché non vediamo quasi nessuno."

Jeanne ha rettificato, calma: "Vediamo gli amici, non facciamo vita mondana, ecco tutto."

L'aereo adesso correva sulla pista, lungo i paletti luminosi; ma non toccava ancora terra con le ruote. Poi le ruote hanno incontrato il suolo con uno schianto; e l'aereo ha rallentato la sua corsa. Dopo un po' Alda si è alzata in piedi: "Jeanne non difenderti. Vedremo poi se è veramente disponibile." Intanto ci voltava le spalle, tirava giù dagli sportelli aperti due grandi borse, la sua e quella della madre.

Mi sono distratto un momento a guardare il profilo nero dell'aerostazione contro il cielo rosso del tramonto. Quando mi sono voltato, le due donne erano già lontane, si dirigevano, tra gli altri viaggiatori, verso l'uscita. Ma la figlia si è voltata e mi ha fatto un segno di saluto, accompagnandolo con il gesto significativo di chi compone un numero di telefono.

Più tardi, nel taxi che mi portava all'indirizzo di mio padre, ho ripensato all'incontro con le due donne dell'aereo e così non ho fatto caso alle strade che stavo percorrendo. Del resto non mi interessavano: nell'aria ormai notturna, con un cielo verde contro il quale si profilavano neri casamenti moderni e risplendevano, multicolori e stridule, le insegne dei negozi, mi pareva, non senza delusione, di trovarmi in una città qualsiasi, non diversa da tante altre. Meglio, dunque, pensare a Jeanne e a Alda che almeno avevano il pregio di essere nuove e mai viste.

Perché avevo provato fin dal principio un impulso così spontaneo ed irresistibile a confidarmi ad una estranea come Jeanne? E perché lei, a sua volta, si era tanto interessata a me? E infine perché Alda si era raccomandata con tanta insistenza che telefonassi, mi facessi vivo? A queste domande non sapevo dare una risposta precisa, ma, a dire il vero, non ci tenevo troppo a darla. Mi bastava formularle e fantasticarci sopra con la mente come inebriata dall'insonnia dei giorni passati e dalla stanchezza del viaggio. Così il tempo della traversata di Roma è passato senza che rivolgessi il pensiero, neppure una volta, a mio padre e alla città in cui ben presto mi sarei trovato a vivere con lui.

Ho trasalito con improvviso malessere misto di ripugnanza e quasi di sgomento, quando il taxi si è fermato e ho capito che ero arrivato. Ho tratto il portafoglio dalla tasca e ho visto che, porgendo la banconota all'autista, la mano mi tremava. Sono disceso, ho preso la valigia e ho fatto per attraversare. Ma ho dovuto aspettare. Il portone stava dalla parte opposta di una larga strada che aveva da un lato una fila di palazzi e dall'altro il parapetto del Tevere. In quel momento la luce del semaforo brillava verde tra i rami dei platani; e decine di macchine sfilavano rincorrendosi rabbiosamente. Ho approfittato dell'indugio per guardare al palazzo dove abitava mio padre. Sono stato colpito dal gran numero di nicchie, cornici, balconi, colonne, statue che ornavano la facciata; doveva essere un palazzo abitato da gente ricca. Mi sono detto che, tra tante incertezze, c'era almeno questo di sicuro: mio padre, di cui non sapevo quasi nulla, all'infuori che aveva un'agenzia immobiliare, non era povero, gli affari gli andavano bene. Non sapevo se questo mi facesse piacere; in tutti i casi, era il primo tratto reale in una figura finora quasi immaginaria.

La luce del semaforo è diventata rossa; le macchine si

sono immobilizzate di colpo in ranghi successivi e frementi; ho preso la valigia, ho attraversato il lungofiume e sono andato a premere il bottone del campanello, presso il portone. Debbo confessare che vedere al di sopra del bottone la targa con il mio stesso nome, De Sio, mi ha fatto una curiosa impressione: dunque mio padre esisteva! È passato un tempo che mi è sembrato lunghissimo, poi il citofono ha gracchiato e una voce che mi è sembrata artificiosamente bassa e reticente, molto diversa da quella squillante ed entusiasta che mi aveva risposto allorché avevo telefonato da Parigi, mi ha chiesto chi fossi. Ho detto: "Sono Mario." Subito la voce ha esclamato: "Sei Mario? Bravo Mario, sei arrivato? Entra. Entra, devi salire al terzo piano." Adesso la voce era diversa da quella della telefonata da Parigi e da quella di poco fa, più intima della prima, meno guardinga della seconda: mi è venuto fatto di pensare che mio padre fosse una specie di attore che sapeva trovare un tono di voce diverso per ogni circostanza.

C'è stato un ronzio elettrico; ho spinto il portone, sono entrato, sono andato in fondo all'atrio, all'ascensore. Il mio persistente turbamento ha fatto sì che, una volta nell'ascensore, ho premuto il bottone del secondo piano invece di quello del terzo. Così sono uscito con la valigia sul pianerottolo soltanto per sentirmi dire da una voce che veniva dall'alto: "Hai sbagliato piano, devi salire un piano più su."

Che fare? Rientrare nell'ascensore? Salire a piedi? Ho scelto la seconda alternativa, ho preso la valigia, mi sono avviato su per la rampa. Allora, via via che salivo, ho fatto la scoperta di mio padre che mi aspettava ritto sul pianerottolo del terzo piano. Prima di tutto ho visto le scarpe, molto grandi e tutte traforate, di tipo inglese, di un cuoio quasi rosso e molto lucidato; poi i pantaloni di flanella grigia; quindi la giacca blu a doppio petto coi bottoni d'oro, tutto questo piuttosto sformato e logoro. Infine, in cima ad un colletto color crema dal quale usciva una smilza cravatta reggimentale, ho visto la faccia.

Non avevo mai neppure tentato di immaginare il volto dell'uomo al quale avevo parlato a Parigi. Ugualmente, vedendo per la prima volta mio padre, non ho potuto fare a meno di provare un senso di delusione come se, invece, me lo fossi raffigurato diverso e migliore. Possibile che quel largo volto, chiazzato di rosso, dalla fronte vasta e squallida, dalle folte sopracciglie inarcate su occhi sbarrati come per un perpetuo sgomento, dal naso lungo e triste, dalla bocca tortuosa, quel volto, insomma, di vecchio clown, fosse quello dell'uomo che dovevo considerare mio padre? Ho avuto una sensazione così forte di estraneità e di rigetto che non ho saputo pronunziare che un asciutto: "Buon giorno, sono Mario."

Era, da parte mia, il modo naturale e logico, di comportarmi con un completo estraneo. Ma lui, evidentemente portato per natura alla recita, ha subito mostrato che la parte del padre, il quale, dopo una lunga separazione, incontra il figlio, gli conveniva perfettamente. Sono salito sul pianerottolo, ho appena fatto in tempo a posare in terra la valigia che già lui mi baciava e mi abbracciava con irruenza. Ho notato, come un tratto oscuramente significativo, che erano baci, come dire? umidi, cioè intrisi di saliva; e ho pensato che questa umidità delle labbra era in qualche modo connessa con quella degli occhi visibilmente bagnati di lacrime. Mio padre mi baciava e piangeva; baci e lacrime testimoniavano in maniera teatrale che avevo un padre, anzi un padre decisamente paterno. Dopo l'abbraccio, lui ha fatto esattamente quello che mi aspettavo che facesse: si è tirato indietro stringendomi con le due mani per le spalle, mi ha squadrato dalla testa ai piedi e ha esclamato: "Ma lascia che ti guardi, sei ormai un uomo e sei Mario! Sei proprio quel Mario che io, chissà perché, mi ostinavo a considerare bambino."

"Sì, sono Mario," ho detto con malcelata ironia, "e, secondo ogni apparenza sono un uomo."

Ha fatto un gesto di frettolosa approvazione: "Ma si capisce, si capisce. Non badare a quello che può dire un padre commosso e felice; sì, Mario, sì, proprio così, commosso e felice! Non tenerne conto, sei un uomo e sei fiero di essere un uomo; giusto, giustissimo! Ma vieni, ti mostro la casa; è passato tanto tempo ma niente è cambiato, né nella casa, né qui, nel mio cuore," e si è puntato il dito al cuore. Poi, rapidamente, si è impadronito della valigia, mi ha preceduto nell'anticamera, ha posato la valigia in un angolo, ha spalancato una porta: "Questo è il soggiorno."

CAPITOLO SECONDO

NON SO

Mi sono fermato sulla soglia e ho guardato a lungo prima di decidermi ad entrare. Perché mi sono fermato? Dapprima, di fronte alla grande sala profonda, coi suoi gruppi di poltrone e di divani enormi e scuri, la sua tavola rettangolare, circondata da troppe seggiole, ho provato lo stesso senso di estraneità e di rigetto che, poco fa, mi aveva ispirato la faccia di mio padre. Poi, laggiù in fondo, dove si diffondeva la luce blanda di due grandi finestre velate di bianco, oltre la tavola, oltre il gruppo di poltrone e di divani, ho visto che l'estremità opposta del soggiorno era arredata in maniera diversa, con mobili meno imponenti, più chiari, più intimi: una piccola scrivania inglese con la sua seggiolina di Vienna, un divanetto a fiorami, un apparecchio televisivo, un giradischi sopra uno stipo, con la sua discoteca, un basso lungo scaffale pieno di libri, una grande pianta verde in vaso; e ho sentito ad un tratto che, al contrario della parte, diciamo così, sociale, del soggiorno, quella zona più privata "mi riguardava". Perché mi riguardava? In maniera inaspettata, venendo come da una memoria ancora oscura e inconscia, la risposta è stata: "Qualche cosa, laggiù, mi è successo." Dunque, adesso, non era più l'estraneità a fermarmi sulla soglia ma il contrario, ossia il senso preciso del già visto, del già vissuto, forse, chissà, del già sofferto. Ma che cosa era stato da me già visto, già vissuto, già sofferto?

Qui si fermava la mia ottusa riflessione come se la soglia

su cui mi ero fermato fosse anche la soglia invalicabile del ricordo.

Guardavo, e lo sforzo vano di risuscitare le presenze dimenticate che il soggiorno pareva suggerire, mi sdoppiava la vista, faceva trapassare gli oggetti l'uno dentro l'altro. Intanto il mio udito pareva essere isolato da una vuota sospensione nella quale i suoni giungevano remoti come per una incalcolabile lontananza. Poi, come sbuca da una fitta nebbia bianca il ramo nero di un albero, così, fuori dal silenzio ronzante e attonito, è sbucata ad un tratto, nitida, la voce di mio padre: "Laggiù era la parte del soggiorno preferita dalla tua povera madre. Ci stava sempre, diceva che nel soggiorno non solo si mangia e si riceve, ma anche si vive. E lei, infatti, ci viveva, oh sì, non c'è dubbio, ci viveva."

Ho avvertito non so quale sarcasmo nella sua voce. Ho chiesto a fior di labbra: "Come sarebbe a dire che ci viveva?"

"Sarebbe a dire che la tua povera madre faceva di tutto qui dentro."

"Di tutto?"

"Ma sì, lettura, musica, televisione, telefonate, corrispondenza, siesta, conversazione ed altro."

"Altro?"

"Ma sì, anche l'amore."

Ho avuto per un momento l'impressione sconcertante che mio padre alludesse due minuti appena dopo il mio arrivo ai tradimenti di mia madre che, come sapevo, avevano portato, a suo tempo, alla loro separazione. Gli ho lanciato uno sguardo stupito; prontamente, come un attore che sbaglia la battuta, ha corretto quasi in tono di scherzo: "Beninteso, l'amore con me." Quindi ha ripreso con nostalgia forse sincera ma al tempo stesso studiata e artificiosa: "Mi pare ancora di vederla, laggiù, nella sua zona preferita, dove, come ho detto, viveva. Eccola, la vedo, in pigiama o in calzoncini o in vestaglia, o magari mezza nuda, distesa sul tappeto intenta ad ascoltare musica o a leggere o a telefonare."

"Ma perché sul tappeto?"

"Perché lei viveva, per così dire, in terra, sul pavimento. Sì, Mario, la vedo, eccola lì, sdraiata bocconi, le gambe per aria, la biro nella mano, oppure supina, pur sempre con le gambe in aria, col ricevitore del telefono all'orecchio."

"Scriveva molte lettere?"

"Si capisce, scriveva molte lettere, faceva molte telefonate. Doveva tenere in piedi quella che io chiamavo la sua vita parallela."

"La vita parallela?"

"Ma sì, la vita che lei viveva per conto suo accanto a quella che viveva con me."

"In che cosa consisteva questa vita parallela?"

"Consisteva semplicemente nel frequentare gli uomini che desideravano andare a letto con lei."

Così ora mio padre faceva davvero ciò che un momento fa avevo temuto che facesse: poco dopo il mio arrivo, già parlava male di mia madre. Ho ubbidito ad un riflesso istintivo: "Non sono venuto a Roma per sentire insultare mia madre."

Ha subito approvato, rumorosamente: "S'intende, s'intende. Tu sei il figlio e io invece sono il marito. Il figlio difende la madre, s'intende. Ma Mario..." Qui si è fermato e mi ha guardato con solennità: "Tu sei anche, anzi soprattutto, un uomo e io voglio parlarti non come da padre a figlio ma come da uomo a uomo. Capisci, come da uomo a uomo."

Mi imbarazzava con i suoi occhi sbarrati. Ho cercato di cambiare discorso: "E io dove ero?"

"Come sarebbe a dire: dov'eri?"

"La mamma leggeva, scriveva, telefonava, ma io intanto dove stavo?"

"Ah, ah, s'intende, eri con la governante. In camera tua. Oppure a Villa Balestra o a Villa Borghese. Qui no, non ti ci voleva, la tua povera madre..."

Mi è scappato di bocca: "Non dire continuamente: la tua povera madre."

Ha prontamente colto al volo il pretesto per una esibizione teatrale: "Ma dico povera non come si dice in genere dei defunti, ma perché è morta così giovane. Ventinove anni! Capisci? A soli ventinove anni, al colmo della bellezza e della grazia! E io l'amavo, Mario, l'amavo; tanto è vero che non posso entrare qui senza rivederla. Sì, eccola lì, in carne e ossa, distesa sul pavimento, che telefona!"

Gridava e mi fissava con i suoi occhi sbarrati, curiosamente inespressivi, si sarebbe detto, per eccesso di espressività. Poi è tornato a un tono normale, di informazione: "Tua madre, a modo suo, era una buona madre. Ma non ti voleva nel soggiorno perché non si considerava una madre."

"E che cosa si considerava?"

"Non si considerava né una madre né tanto meno una moglie. Si considerava una ragazza, senza marito e senza figlio, e voleva vivere come se fosse stata sola, con le abitudini e le avventure della sua vita parallela. Come insomma se tu ed io non ci fossimo stati affatto."

Intanto eravamo entrati nel soggiorno e ci trovavamo nella parte preferita da mia madre. Ecco, il televisore e, di fronte, un divano a fiorami; ecco, tra l'uno e l'altro, un tappeto cinese crema e blu, senza dubbio quello sul quale mia madre era solita star distesa supina oppure bocconi, a leggere e telefonare. Ad un tratto, la sensazione che nel soggiorno "qualche cosa" mi fosse successo è tornata più incombente e più precisa, come un suono o un odore rivelatori che, dopo averli avvertiti per la prima volta, svaniscono per poi farsi sentire di nuovo e più forti. Ho avuto l'impressione esatta che doveva essere stato un evento straordinario, in quanto collegato a sua volta con un particolare anch'esso straordinario di quell'ordinarissimo soggiorno borghese. Ho guardato di nuovo, con attenzione più accurata e consapevole, l'apparecchio della televisione, il tappeto, il divano... A questo punto il mio sguardo è passato dal divano a ciò che c'era dietro il divano. Ora, dietro il divano, ho subito notato il particolare straordinario che andavo cercando: una porta verniciata di bianco avorio, con un solo battente e la maniglia di ottone di stile antico, dalla quale, però, non si poteva entrare nel soggiorno perché la spalliera del divano, situata a poca distanza, sbarrava il passaggio. Questa insolita, assurda disposizione del divano mi ha colpito e, ancor di più, mi ha colpito il fatto che mi avesse colpito. Ho chiesto: "Come mai quel divano sta contro la porta? Così la porta è condannata."

"Ci sono altre due porte, quella per cui siamo entrati e quella lì, che dà nella cucina."

"Sì, ma quella porta lì, dove dà?"

"Nel corridoio."

"E cosa c'è nel corridoio?"

"Le camere da letto. La tua, quella di tua madre e mia, quella in cui dormiva la governante, la camera degli ospiti."

"Così, chiunque, venendo da una di queste camere, voglia entrare nel soggiorno deve fare per forza il giro dell'appartamento ed entrare dall'anticamera oppure dalla cucina?"

"Esatto."

"E perché?"

"Perché che cosa?"

"Perché questa disposizione assurda?"

"Tua madre," ha risposto mio padre con aria afflitta, "sempre tua madre. Tutto ciò che vedrai in questo appartamento è come tua madre l'ha voluto."

"È lei che ha voluto il divano contro la porta?"

"Si capisce, il divano doveva star lì per guardare la televisione. Avremmo potuto spostare divano e televisione, e lasciare libera la porta. Nossignore, tua madre è stata irremovibile. Televisione e divano dovevano stare lì per motivi noti soltanto a lei; e infatti sono rimasti."

"Ti avrà almeno detto perché voleva che il divano sbarrasse la porta?"

"No, ma l'ho indovinato lo stesso."

"Cioè?"
"Il motivo era che io pensavo logicamente che la porta dovesse essere libera. Tanto è bastato perché lei, con la propria logica, decidesse il contrario."
"Quale logica?"
"La logica della contraddizione. Se io dicevo bianco, lei diceva nero, e viceversa."
Ho guardato di nuovo la porta che, dopo queste spiegazioni, pareva aver assunto più che mai un aspetto enigmatico. Tra la porta e la spalliera del divano, c'era uno spazio angusto, ma sufficiente perché una persona molto magra o un bambino, mettendosi per traverso, potesse scivolare nel soggiorno. Mio padre ha ripreso come seguendo il filo dei ricordi: "Il solo che non si è arreso al capriccio di tua madre sei stato proprio tu."
Sono rimasto sorpreso dall'inopinata evocazione della mia presenza in questo soggiorno nel quale, come mi aveva informato mio padre, mia madre non desiderava che entrassi: "Io, perché?"
"Sì, tu, proprio tu, ti sei ribellato alla logica della contraddizione di tua madre con la logica dei bambini che pur di giocare, giocano perfino con le scomodità. Eh, eh, ciascuno ha la sua logica!"
"E la mia logica era quella del gioco?"
"Sì, Mario, era quella del gioco. Tu ti sei servito della porta condannata per fare un tuo gioco difficile e per questo tanto più attraente. Noterai che tra la spalliera e la porta c'è uno spazio molto stretto. Tu hai inventato il gioco che consisteva nello schiudere senza far rumore la porta, insinuarti per la fessura e fare una sorpresa a tua madre."
"Quale sorpresa?"
"Metterle le mani sugli occhi esclamando: indovina chi è?"
"Ma tu mi hai detto che la mamma non mi voleva nel soggiorno."

“Ti voleva e non ti voleva. Tua madre era molto volubile: il fatto che accettava il tuo gioco ma non accettava di disimpegnare la porta, era l’espressione della sua volubilità.”

“Ma quando lo facevo questo gioco?”

“Durante il giorno no, perché c’era la governante che te l’avrebbe impedito. Ma la notte, la governante se ne andava a dormire e tu restavi solo nella tua camera. Allora, tu ne approfittavi. Se sapevi che eravamo in casa, aspettavi che avessimo finito di mangiare e ci mettessimo sul divano a guardare la televisione e facevi il tuo gioco. Ti alzavi, venivi in punta di piedi alla porta, l’aprivi un poco, sgusciavi dietro la spalliera del divano e mettevi le mani sugli occhi di tua madre. In realtà,” ha concluso mio padre in maniera inaspettata, “eri un bambino molto affettuoso e lo scherzo del gioco era una maniera come un’altra di ricordare a tua madre che non era ancora venuta in camera tua a darti il bacio della buonanotte.”

“Ma non veniva sempre alla stessa ora?”

“Tua madre era pigra oltre che volubile. Così veniva a baciarti sempre ad un’ora diversa, secondo le occasioni della sua pigrizia. Poteva perfino dimenticarselo. Allora, tu, con il tuo scherzo, venivi a ricordarglielo.”

“Ma mi voleva bene la mamma?”

“Se non ti avesse voluto bene, avrebbe chiuso a chiave la porta, come infatti è avvenuto quando si è accorta che il bene che ti voleva non coincideva con il bene che voleva a se stessa.”

“Non ti capisco.”

“Era molto egoista. Non poteva fare un piacere a qualcuno se non faceva insieme un piacere a se stessa. Diciamo che il tuo gioco della porta per un po’ di tempo ha fatto piacere non soltanto a te ma anche a lei. Poi non più. E allora ha chiuso a chiave la porta.”

Guardavo irresoluto allo schermo grigio e spento della televisione e al divano foderato di cretonne a fiori che gli stava di fronte. Qualche cosa era successo, adesso ne ero sicuro, quando, secondo le parole di mio padre, mia madre si era accorta che al piacere che faceva a me non corrispondeva un piacere che faceva a se stessa. Ho chiesto con voce trasognata: "E ci stavate spesso, qui, la sera, a guardare la televisione?"

"Sì, spesso. La vita di tua madre che ho chiamato parallela, la sua vita divisa dalla mia, lei la viveva di giorno, nel pomeriggio, dalle due alle nove. La mattina io andavo in ufficio e lei la passava qui, a telefonare, a scrivere, a leggere. Ma la sera, per lo più, stavamo insieme. Tua madre si vestiva con un abito da sera, mangiavamo insieme e poi guardavamo la televisione. E allora poteva accadere che tu facessi il tuo gioco."

Mi è venuta un'idea da romanzo poliziesco. Ho proposto con deliberazione: "Se non ti dispiace, facciamo finta che sia una sera qualsiasi di quindici anni fa. Tu stai seduto sul divano e guardi la televisione, come facevi allora con la mamma. Io intanto faccio il giro dell'appartamento, socchiudo quella porta, passo tra la porta e la spalliera ed entro nel soggiorno."

Ha avuto un viso sconcertato e scontento: "Ma che c'entra? Io stavo mostrandoti la casa. Se dovessimo ricostruire tutto quello che ci facevamo..."

"Dai, fammi questo piacere."

"Ma insomma che vuoi?"

"Che ti siedi sul divano e guardi la televisione. Ecco tutto."

Scontento e insieme vagamente sospettoso e turbato come se quello che gli chiedevo di fare riguardasse non già mia madre, ma lui, alla fine si è arreso: "E va bene, sia. Ma sai come si arriva a questa porta da fuori? Devi andare nell'anticamera e da questa passare nel corridoio."

"Stai tranquillo, ho capito tutto. Ecco, accendi la televisione e siediti. Io vengo subito."

Bizzarramente eccitato, ho riattraversato il soggiorno,

sono uscito nell'anticamera. Ecco la porta del corridoio, ecco il corridoio. Ho cercato e trovato sulla parete l'interruttore, l'ho premuto: nella luce bassa e tranquilla, proprio una luce da corridoio, mi sono apparse le porte in fila alternate ad armadi a muro, il pavimento di cotto rosso e, laggiù, in fondo, una porta dai vetri colorati rossi, blu e verdi, di disegno liberty. Forse per un ricordo inconscio oppure per intuito, sono stato subito sicuro che la porta a vetri fosse quella della mia camera. Ho pensato: "Io venivo di lì. Vediamo se è vero." Ci sono andato, l'ho aperta e ho subito constatato che avevo intuito giusto. Nella blanda luce di un pallone giapponese di carta bianca e opaca, mi è apparsa una stanza di forma irregolare, piuttosto grande, con una tavola rotonda nel mezzo e, in un angolo, un letto a castello, con le due cuccette sovrapposte e la scaletta per accedere a quella più alta, come nelle cabine dei vagoni letto. Tutto l'arredamento era di legno al naturale con coperte, cuscini e cortine di cretonne a fiori. Sulla tavola, stava seduto, con le braccia aperte, un grande orso di peluche biondo; in un angolo, nel piano inferiore di uno scaffale, era confinato un enorme pallone a spicchi blu e rossi: due giocattoli che, senza dubbio a causa delle loro proporzioni, mia madre non aveva voluto portare via quando se n'era andata con me a Parigi. La stanza appariva vuota ma non disabitata. Ho notato che le cuccette del letto a castello avevano coperte e cuscini e che il pavimento di legno era lucidato a cera. Cosa ho provato di fronte a questa stanza? Nulla, all'infuori dell'acre e razionale curiosità di un investigatore che cerca di ricostruire un evento sconosciuto e fondamentale. Ma quale evento? Ho pensato, ho quasi detto ad alta voce: "Io dormivo lì, nel letto a castello, ovviamente sulla cuccetta più alta perché per un bambino è più divertente salire una scala di legno per andare a dormire. Dunque scendevo la scaletta, uscivo nel corridoio..."

Pensando queste cose, sono uscito a mia volta dalla stanza, sono andato direttamente alla porta del soggiorno.

Ecco la maniglia di ottone; ma prima di spingerla giù ho guardato un'ultima volta al corridoio e ho riassunto di nuovo, mentalmente, la situazione: "Ecco, sono un bambino di cinque anni, sono in pigiama e a piedi nudi. Al di là di questa porta, c'è mia madre a cui voglio bene e che, almeno in certe occasioni, mostra di volermi bene. Una di queste occasioni, è il bacio della buonanotte. L'ho aspettato finora, poi mi sono deciso: farò una sorpresa a mia madre, avrò il bacio non nella camera da letto, ma nel soggiorno. Ma perché non ho aspettato il bacio nella camera da letto? È chiaro, perché nel gioco della sorpresa, oltre alla sorpresa vera e propria, c'è pure l'idea di 'sorprendere' mia madre nel senso di impressionarla con una dimostrazione inaspettata del mio sentimento per lei. Dunque: doppia sorpresa."

Lentamente ho spinto in giù la maniglia; lentamente ho disserrato la porta; lentamente mi sono insinuato per la fessura. Mio padre mi aveva ubbidito: sedeva sul divano, la testa appena sporgente dalla spalliera. Di fronte a lui, lo schermo della televisione era acceso; vi si vedeva una partita di calcio: su un grande prato verde, tante figurette di giocatori correvano, inseguendo il pallone.

È difficile, se non impossibile, decidere se, nel momento preciso in cui si rimemora qualche cosa, il ricordo scatta prima come idea e poi come fantasma oppure, soltanto e subito come fantasma. Probabilmente a tutta prima c'è l'idea e poi il fantasma; però così rapidi da non poter essere distinti l'uno dall'altro.

Ma io, insinuandomi tra lo stipite e la porta, avevo, già in mente l'idea o meglio il sospetto, che avrei visto il fantasma di mia madre; e infatti, immediatamente, esso mi è apparso. Nella luce bassa del soggiorno, ho visto di fronte a me prima di tutto il suo viso sospeso per aria e poi l'intera persona. Mi era di fronte, stava a cavalcioni sulle ginocchia di un uomo seduto sul divano, la cui testa bionda e ricciuta sporgeva di poco dalla spalliera. Mia madre, allora, mi era sembrata assorta ad assestarsi sulle ginocchia dell'uomo biondo e, al tempo stesso, piegandosi avanti e reclinando il capo da una parte, impegnata a fare qualche cosa che lì per lì non avevo capito cosa fosse. Adesso, mentre mi riappariva come fantasma, lo sapevo: con le due mani che non potevo vedere ma di cui indovinavo il gesto, facilitava la penetrazione nel proprio sesso del sesso dell'uomo. Poi, mentre l'avevo guardata pur sempre senza capire, lei aveva alzato la testa e allora, soltanto allora, mi aveva visto. A questo punto, così nella realtà di quindici anni prima, come adesso nella visione della memoria, avveniva qualche cosa di incredibile: mia madre mi vedeva o meglio mi guardava ma non per questo interrompeva il movimento avanti e indietro dei fianchi, iniziato subito dopo la penetrazione, anzi pareva accelerarne il ritmo fervido e alacre. Intanto mi fissava negli occhi con uno sguardo al tempo stesso ansioso e imperioso. Sì, non c'era dubbio, mia madre mi ingiungeva con questo sguardo autoritario di non muovermi, di non andarmene, di assistere fino alla fine al proprio amplesso. Soltanto quando lei e l'uomo dalla capigliatura bionda avessero avuto l'orgasmo, soltanto allora mi era permesso di staccarmi dalla soglia, di tornare nella mia camera.

E così avveniva. Mia madre andava avanti e indietro con lena e metodo pur sempre guardandomi fisso negli occhi, per un tempo che mi sembrava lunghissimo. Poi, d'improvviso, la sua faccia, finora tesa e concentrata, si decomponeva in una smorfia di ambiguo dolore, gli occhi le si ingrandivano come per terrore, la bocca le si spalancava in un urlo silenzioso. Rimaneva così, con gli occhi sbarrati e la bocca aperta, un lungo momento, quindi crollava sulla spalla dell'uomo biondo, baciandogli con scatenata riconoscenza l'orecchio e il collo. Allora, come se con questo suo crollo, lei mi avesse dato il permesso di andarmene, io scappavo dalla soglia, correvo a rifugiarmi nella mia camera.

Come ho detto, ho ricordato e, nello stesso tempo, ho

visto. La mia visione era stata precisa e piena di particolari eloquenti: durante l'amplesso il vestito forse troppo largo di mia madre era disceso da un lato scoprendole la spalla e il seno; mentre andava avanti e indietro con i fianchi, si era ravviata per un momento i capelli che le cadevano sugli occhi proprio come chi si concentra, trafelato, su quello che sta facendo; l'uomo dai capelli biondi aveva interrotto la propria immobilità con un solo gesto violento: le aveva tirato giù completamente la scollatura del vestito e il seno nudo ne era scaturito, basso e ciondolante.

Durante questa rievocazione fantasmatica, con la rapidità fulminea che acquista il pensiero nei momenti di estrema concitazione, ho anche avuto il tempo di abbozzare due interpretazioni di quell'incredibile sguardo imperioso col quale, quindici anni fa, mia madre mi aveva comandato di non muovermi, di essere testimone, fino alla fine, del suo piacere. Nella prima interpretazione, mia madre voleva aggiungere al piacere tutto naturale dell'amore quello perverso della profanazione della mia innocenza. Nella seconda, l'innocente non ero soltanto io ma anche e soprattutto lei: innocentemente, con lo stesso sguardo ansioso di una cagna che si lascia penetrare dal maschio, lei mi chiedeva di non disturbarla, di non interromperla, di lasciarla fare l'amore in pace fino alla fine.

Ma dietro ambedue queste diverse interpretazioni, avvertivo nello stesso tempo una sola domanda logica e ostinata: perché mia madre aveva fatto questo? O meglio ancora, perché mi aveva fatto del male? Il perché, lo sapevo benissimo, lo avevo or ora spiegato in due modi diversi; eppure non potevo fare a meno di pormi la domanda che oltrepassava il mio caso particolare e sottintendeva la questione fondamentale: perché c'è il male? Era una domanda filosofica, benché angosciosa, e come tale non chiedeva risposta. Ma il dolore che l'originava, era reale.

Tutto questo è durato un attimo; poi ho voluto nascondere l'urto della scoperta con una parodia di cui non mi sono dissimulato il dubbio gusto. Ho messo le due mani sugli occhi di mio padre, esclamando: “Indovina chi sono.”

“Il mio carissimo figlio Mario, appena arrivato da Parigi,” ha esclamato prontamente mio padre, cogliendo l’occasione per sfoggiare di nuovo il suo istrionesco amore paterno, “il mio dilettissimo figlio Mario venuto da Parigi per vivere a Roma con suo padre.”

Ho finto di non sentire, ho steso la mano, e ho premuto l’interruttore della luce, spegnendo il lampadario centrale del soggiorno. Adesso non c’era più che il chiarore vibrante e ristretto dello schermo della televisione. Provavo un disagio vergognoso e non volevo che mio padre me lo leggesse in faccia. Mi sono lasciato cadere, in quella penombra, sui cuscini accanto a lui e ho chiesto: “Tu hai detto che, alla fine, la mamma ha deciso di smettere il gioco e ha chiuso a chiave la porta. Perché l’ha fatto?”

Mio padre non ha risposto subito. Nella sua ombra, lì accanto, pareva esservi tutta la pesantezza di una perplessità insolubile. Ha proferito alla fine: “Il perché c’era e io l’ho sempre saputo.”

“E cioè?”

“Potrei dirti molte cose, Mario, ma intendiamoci prima: non come da padre a figlio, ma come da uomo a uomo. Sì, Mario, sono cose molto delicate e se ne può parlare tra noi soltanto come da uomo a uomo.”

Non ho detto nulla. Mio padre ha insistito: “Hai fatto bene, Mario, a spegnere la luce. È giusto, per dire certe cose ci vuole l’ombra, come in un confessionale. Già, perché, per modo di dire, sto confessandomi, Mario.”

“Vuoi che spenga anche il televisore?”

“Magari, Mario, perché no? Al buio si parla meglio, Mario, ci si confessa meglio.”

“Ecco fatto.”

C’era il telecomando sul bracciolo del divano. Ho premuto il bottone e lo schermo si è spento. Dall’oscurità mi è venuta la voce di mio padre: “Tua madre, forse te l’hanno detto, non era una moglie fedele, anzi mi tradiva, diciamolo pure, con ogni uomo appena passabile che mostrasse di desiderare di andare a letto con lei. Non arrabbiarti perché dico questo, è la verità e la verità non offende nessuno. Questa verità non me l'aveva mai nascosta, del resto. Fin dal principio mi aveva avvertito: 'Se vuoi che stia con te, devi promettermi di non essere geloso.' 'Perché?' 'Perché io non posso fare a meno di avere degli uomini.' Ricordo che ho chiesto scherzosamente: 'Quanti?' E lei, a muso duro: 'Anche uno al giorno.' Credevo che si vantasse, ma mi sono accorto ben presto che era la verità. A dirla in breve, per quanto riguardava l'amore, tua madre non era una donna, ma un uomo. Aveva vent'anni e che fa un uomo a vent'anni? Va a caccia di donne e più ne ha, più ne vuole. Almeno io ero così a vent'anni e tua madre si comportava nello stessissimo modo: voleva delle avventure e se non le aveva, era infelice. Per averne il più possibile, non aspettava che l'uomo le facesse la corte; era lei che prendeva l'iniziativa, senza tante storie, con gli sguardi, con gli atteggiamenti, non esitando ad esibirsi, e, magari, a mettergli le mani addosso. Eh, eh, tua madre era un Don Giovanni, un Casanova, proprio così. E io ti dirò una cosa, Mario, anche io in gioventù ero stato come lei e così ero in grado di capirla perfettamente: anche a me la vita non pareva sopportabile se non avevo un'avventura. Se l'avventura c'era o era in vista, bene: ero allegro, leggero, senza complessi, senza problemi; ma se non c'era, il mondo allora mi crollava sulla testa, diventava tutto un fango, una nebbia, un caos. Lo stesso avveniva a lei, Mario: io sapevo infallibilmente quando tua madre mi tradiva perché allora diventava gentile e affettuosa. Se invece non aveva l'avventura a portata di mano, tanto era sgradevole e persino cattiva che mi poteva accadere di desiderare che l'avesse."

Mio padre ha fatto una pausa durante la quale ha acceso una sigaretta. Ho visto nel buio la fiamma dell'accendino avvicinarsi all'invisibile sigaretta, divampare per un momento, spegnersi. Mio padre ha detto, poi: "Al buio, però, non è piacevole fumare; anche l'occhio vuole la sua parte. Dunque, dicevo: ah sì, tua madre aveva bisogno dell'avventura e non esitava a procurarsela con mezzi molto spicci. Per esempio, un giorno, l'ho vista, con questi miei occhi, tirarsi giù la scollatura tutta da una parte, di modo che l'uomo che le sedeva di fronte le vedesse il seno. Più tardi, le ho fatto osservare che eravamo in un caffè e che tutti se ne erano accorti. E lei: 'E che importa che mi vedano gli altri? Quello che mi importa è che mi abbia visto lui.' Ma tiriamo avanti, Mario. Forse ti meraviglierai se adesso ti dico che le avventure, alla fine, non erano la cosa peggiore: la capivo, capivo che non poteva farne a meno e che per lei erano come la droga per un drogato: se non ne aveva diventava infelice, smaniava. No, per me, la cosa peggiore era quella che io chiamavo la sua vita parallela."

Sono stato colpito a questo punto dal tono razionale e moderato col quale si esprimeva mio padre, al buio. Si sarebbe detto che il suo istrionismo, come ogni spettacolo, avesse bisogno di luce e di spettatori. Ho osservato in fretta: "Sì, l'hai già detto, ma non ho capito troppo bene. Perché: parallela?"

"Semplice. Qual è il carattere principale di due linee parallele? Chiaro: non si incontrano mai. Ora questo era ciò che faceva tua madre con me: aveva creato una sua seconda vita (anzi, dovrei chiamarla una prima vita perché attribuiva alla vita parallela molta più importanza che a quella che viveva con me) e l'aveva trasformata in un compartimento stagno, ermetico, nel quale io non dovevo entrare a nessun patto. Ora, al limite, io avrei ancora sopportato, quando usciva subito dopo pranzo, che lei mi dicesse francamente: 'Vado a trovare il mio amante.' Sì, l'avrei sopportato, Mario, perché avrei avuto un motivo vero di gelosia. Ma quello che non sopportavo era che invece mi dicesse: 'Esco, ci vediamo stasera.' Sì, Mario, non soffrivo tanto della sua infedeltà quanto del modo, diciamo così, con il quale la gestiva. Prendiamo, per esempio, il telefono. Quando parlava al telefono, chiunque fosse la persona all'altro capo del filo, lei abbassava la voce fino ad un sussurro appena udibile. Così riusciva a fare due cose in una sola: primo, darmi l'impressione spesso sbagliata che la persona con la quale parlava fosse, sempre, un amante; secondo, nascondermi che parlava effettivamente con un amante. Qualche volta mi saltavano i nervi e le domandavo con chi avesse parlato. Ci crederai? Rispondeva: 'Non lo so.' Hai capito: 'Non lo so!' Oppure, altro esempio del suo ermetismo: come ti ho detto la mattina per lo più se ne stava qui; ma dopo colazione, mezz'ora appena dopo che c'eravamo alzati da tavola, eccola vestita di tutto punto, con il suo solito: 'Allora esco, ci vediamo stasera.' Mi è successo qualche volta di chiederle, così, naturalmente: 'Dove vai?' Rispondeva a fior di labbra: 'Non so.' 'Come fai a non saperlo?' 'Non so, dipenderà.' 'Dipenderà da chi?' 'Dalla persona che vedrò.' 'Ma chi sarà? Come si chiama? Mario, Paolo, Giovanni?' 'Vallo a chiedere a lui.' Hai capito: 'Vallo a chiedere a lui!' Ma il record l'ha battuto un giorno che, a pranzo, noto sul suo collo la traccia rossa lasciata da un bacio, diciamo così, famelico. Le domando: 'Chi ti ha fatto quel segno?' Si è guardata di sfuggita nello specchio della borsa, poi ha risposto: 'Non so.' Capisci? Non so! Le dico allora: 'È stato Dracula, eh, questa notte, mentre dormivi?'"

"E lei che cosa ha risposto?"

"Non ha risposto nulla. Il silenzio era la sua maniera di chiudermi in faccia definitivamente lo sportello del compartimento stagno. Ora, io, proprio quest'ermetismo non sopportavo: mi sentivo non tanto tradito, quanto escluso. E infatti, tua madre mi ha fatto diventare geloso non tanto coi suoi amori quanto col solo fatto di esistere senza di me. Naturalmente, all'origine dell'ermetismo, c'era il suo bisogno patologico di avere delle avventure; soltanto escludendomi completamente dalla sua vita, dalle due alle nove, ogni giorno, poteva dedicarsi alla ricerca dell'uomo di turno; ma io sentivo egualmente l'esclusione. Forse perché mi rendevo conto che, senza esclusione, non avrebbe potuto esserci tradimento."

"Che differenza c'è? Ogni tradimento è esclusione di qualcuno a favore di qualcun altro."

"Niente affatto. Almeno nel caso di tua madre, l'esclusione era fine a se stessa. Ne ho avuto la prova facendola pedinare da un'agenzia di investigazione: è stato allora che ho scoperto veramente che lei mi escludeva dalla sua vita non soltanto per avere delle avventure, ma anche per il solo e ossessivo bisogno di escludermi."

"Tu hai fatto pedinare la mamma?"

"Si capisce; ero il marito, ne avevo se non il dovere, almeno il diritto. L'ho fatta pedinare per quindici giorni; forse troppo poco."

"Perché troppo poco?"

"Perché sono venuto a sapere tutto sull'esclusione, ma non abbastanza sul tradimento che, secondo me, era all'origine dell'esclusione. Ecco, per esempio, una settimana tipica: 'Lunedì: la signora è andata tutta sola al cinema. Martedì: ha camminato tutta sola da via Veneto giù fino a piazza del Popolo, poi per tutto il Corso fino a piazza Venezia e di là di nuovo fino a via Veneto, poi ha preso l'autobus per tornare a casa. Mercoledì: ha attraversato Villa Borghese, è arrivata fino a piazza Fiume, da piazza Fiume è andata a via Veneto, è entrata in un palazzo e ci è rimasta due ore, ma non è stato possibile appurare da chi è andata. Il palazzo è pieno di istituti di bellezza, sarti, massaggi e simili. Giovedì: la signora ha fatto una lunga passeggiata fino al Gianicolo, poi è salita su una macchina straniera guidata da un uomo biondo; la macchina è andata a fermarsi davanti a una palazzina sulla via Aurelia. C'erano molte macchine, un ricevimento. La signora e l'uomo biondo sono scesi, sono entrati nel giardino. Non si sa se sono andati al ricevimento che si svolgeva al pianterreno o al secondo piano dove si trova un appartamento privato. Dopo due ore, ne sono riusciti e l'uomo biondo ha riaccompagnato la signora a casa. Venerdì: la signora è andata tutta sola al Luna Park all'EUR, ci è rimasta quattro ore ed è tornata sola a casa. Sabato: la signora si è incontrata a piazza Risorgimento con un uomo di pelle scura, forse un indiano, che guidava una macchina verde, sono andati insieme ai musei Vaticani, quindi in un albergo di via Veneto, dove si sono trattenuti nel bar, alla fine l'indiano l'ha accompagnata a casa. Domenica: la signora ha camminato per tutta via Flaminia fino a Ponte Milvio. A viale Tiziano è entrata in un palazzo dove abita il suo medico e ci è rimasta circa due ore. Finalmente, camminando lungo il Tevere, è tornata a casa. Come vedi, è una relazione in qualche modo deludente."

"Perché deludente?"

"Perché, apparentemente, l'uomo biondo e lei sono andati a una festa, l'indiano e lei sono stati in un bar e la domenica lei è andata dal suo medico. Non ho avuto le prove dell'infedeltà; ho avuto soltanto le prove dell'esclusione. Ma questa a sua volta era dovuta all'infedeltà."

Improvvisamente mi sono irritato: "Ma insomma di che ti lamenti? La mamma forse ti era fedele, voleva soltanto avere un po' di libertà. E del resto che cosa avrebbe dovuto fare secondo te? Vorrei proprio saperlo!"

"Semplicemente, stare con me."

"A far che?"

"Ma, non so, frequentare la gente che frequentavo io, accompagnarmi, insomma essere veramente mia moglie e non un'estranea che vive in casa come se stesse all'albergo."

Continuavo ad essere irritato e sapevo anche perché: dentro di me riconoscevo che mio padre aveva ragione; quella che lui chiamava esclusione era nient'altro che una copertura per l'infedeltà. Ho gridato, con il segreto desiderio di dar torto a me stesso: "In sostanza, tu eri geloso e lei ti era fedele. È questo ciò che viene fuori dai tuoi racconti."

"Piano, in seguito ho scoperto che l'uomo biondo, l'indiano e il medico erano amanti di tua madre e per giunta tutti e tre nello stesso tempo. È vero che l'ho scoperto per conto mio e in un altro modo, ma questo significa soltanto che le agenzie di investigazione non servono a nulla, non già che tua madre fosse fedele."

"In che modo l'hai scoperto?"

"Ma perché alla fine era sempre lei stessa che, direttamente o indirettamente, me lo faceva sapere. Per esempio, durante una mia scena di gelosia, mi ha gridato in faccia: 'Ebbene sì, col medico ci sono andata a letto, sono già due mesi che ci vado a letto.' Oppure, in altre occasioni sono stato io a capire senza che me lo dicesse, interpretando i suoi comportamenti."

"Quali comportamenti?"

"Certi giorni, invece che alle nove, rincasava, mettiamo, verso le cinque. Andava direttamente alla camera da letto, si coricava e lì rimaneva fino al mattino del giorno dopo, senza venire a cena, senza fornire alcuna spiegazione. Niente, si metteva a letto e se ne stava immobile, con le coperte tirate fino al naso, supina, gli occhi aperti, i capelli sparsi sul guanciale. Ebbene Mario, questo voleva dire, scusa il linguaggio crudo ma parliamo da uomo a uomo, no?, questo voleva dire che l'avventura era cominciata proprio quel pomeriggio e che la scopata era stata particolarmente violenta. Tutto questo era così chiaro che qualche volta non resistevo, mi sedevo sul letto e le chiedevo quasi affettuosamente: 'Ma che hai?' Come il solito, rispondeva con un filo di voce: 'Non so.' 'Chi ti ha ridotto in questo modo?' 'Non so.' 'Ma hai fatto l'amore, questo sì, non è vero?' 'Non so.' 'Col medico?' 'Non so.' Una sola volta invece di rispondere: 'Non so,' ha fatto una dichiarazione, diciamo così, definitiva: 'Tutte le volte che sospetterai di qualcuno, ricordati che sarà vero.' Più chiaro di così!"

Mio padre è stato zitto ancora un momento, quindi ha ripreso: "Mario, chi ama non può fare a meno di essere geloso, e io amavo pazzamente tua madre, dunque ero pazzamente geloso. Ma la mia gelosia ha avuto, diciamo così, due fasi successive e diverse. Da prima sono stato geloso alla maniera tradizionale, alla maniera di Otello: magari pensavo di ammazzare lei, l'amante e me stesso. Poi, piano piano, si è fatta strada in me l'idea che ero geloso non tanto a causa dell'infedeltà quanto dell'esclusione. E allora non sono più stato geloso alla maniera di Otello, ma alla maniera di Riccardo De Sio, sì, Mario, alla maniera mia!"

Ho detto improvvisamente: "Mi fai accendere," e ho capito subito perché lo dicevo: c'era stata nella voce di mio padre come una specie di impennata orgogliosa. Ho avuto il presentimento che stava per venire quella che lui aveva chiamata confessione. E a sua volta, questa confessione, sentivo che era oscuramente collegata con il fantasma di mia madre, come mi era apparso poco fa in atto di far l'amore su quello stesso divano con l'uomo dai riccioli biondi.

Ho sentito mio padre muoversi, frugarsi nelle tasche, quindi la fiamma del suo accendino gli ha illuminato per un momento il volto prima di dirigersi verso di me. Più fine di quanto avessi creduto, ha esclamato, sarcastico: "Vuoi vedere come è Riccardo De Sio, se è veramente diverso da Otello? Guardami, guardami pure. Sì, è diverso, molto diverso per sua fortuna."

Non ho potuto fare a meno di accettare l'invito e gli ho lanciato uno sguardo. Allora ho visto che aveva ragione: c'era una diversità se non nei tratti almeno nell'espressione. Finora l'avevo visto come un istrione che recitava la parte del padre. Adesso questo stesso istrione recitava la parte del marito, di quel particolare marito che lui era stato con mia madre. La fiamma dell'accendino si è spenta, lui ha ripreso: "E ora ti dirò la differenza tra Otello e Riccardo De Sio, Mario. La differenza è che Otello è un imbecille, e Riccardo De Sio, invece, un uomo molto ma molto intelligente. Diciamo, Mario, che Riccardo De Sio, oltre ad essere pur sempre Otello, perché non c'è niente da fare, si è per natura gelosi o non lo si è, e io lo sono, era anche un altro personaggio di Shakespeare: Iago. Nel dramma di Shakespeare, Iago prepara le trappole e Otello ci casca. Nel mio dramma, invece, Otello e Iago collaborano, sono la stessa persona e preparano d'amore e d'accordo le trappole in cui va a cascare Desdemona."

"Chi sarebbe stata Desdemona?"

"Ma tua madre, caro ragazzo, tua madre, la donna del 'Non so'. E vuoi sapere quando Otello ha scoperto che doveva chiamare Iago in suo aiuto? Ecco. Uno di quei giorni, tua madre si presenta al solito vestita di tutto punto, mezz'ora appena dopo che ci siamo alzati da tavola e mi annunzia, come gli altri giorni: 'Io esco, ci vediamo stasera.' Chissà perché mi viene fatto di proporle: 'Se vuoi, ti do un passaggio.' Mi guarda un momento e poi, sia che il passaggio le tornasse davvero utile, sia che l'avessi colta di sorpresa, dice: 'Va bene. Mi basta che tu mi lasci all'imboccatura di via Bertoloni.' Ora, a via Bertoloni, non ci sono negozi, non c'erano, che io sapessi, persone di nostra comune conoscenza; così mi è stato subito chiaro che lei ci andava per un suo motivo da vita parallela, probabilmente per incontrarci un uomo. Allora, mentre guidavo la macchina e rimuginavo dentro di me la solita idea angosciosa dell'esclusione, ecco che mi viene questo pensiero: 'Se questo suo appuntamento, di cui non sai e non saprai mai nulla, l'avessi provocato e combinato tu, se invece di restare come un allocco di fronte ai suoi 'Non so', tu invece sapessi tutto, proprio tutto, perché sei stato tu a spingerla tra le braccia dell'amante, non credi forse che saresti in grado di sostituire il sentimento dell'esclusione con quello, diciamo così, dell'inclusione? E per giunta, con il piacevole sentimento di onnipotenza che ha il burattinaio mentre tira i fili dei suoi fantocci?'"

"La mamma sarebbe stato il fantoccio?"

"Sì. E anche l'uomo da me scelto per recitare la parte dell'amante."

Non so perché, il buio fitto che ci avvolgeva mi ha reso possibile una vendicativa volgarità: "In altri termini, le corna, hai voluto procurartele volontariamente, per non sentirti escluso."

"Sei crudele, Mario, sei spietato, ma è la pura verità. Diciamo insomma che ho dovuto fare, come si dice, di necessità virtù."

"Scusami, forse sono stanco per il viaggio, e poi mi è impossibile parlare della mamma con completa oggettività. Va bene, tu parli di inclusione. Ma cosa intendi per inclusione?"

"Intendo la fine del compartimento stagno, la mia partecipazione alla sua vita parallela. Non avevo potuto partecipare a questa vita come Otello, ci avrei partecipato come Iago, o meglio come Otello più Iago, cioè come Riccardo De Sio."

"Ma in che modo?"

"In che modo Riccardo De Sio, alias Otello più Iago, è riuscito a tirare i fili dei burattini della sua vita? Semplice: con l'intelligenza. E lo sai che cos'è l'intelligenza per un burattinaio? È conoscere a fondo il burattino, averlo osservato, analizzato, studiato, approfondito, anatomizzato."

"E tu avevi anatomizzato la mamma?"

"Sì, come un chirurgo anatomizza un corpo senza vita. La gelosia non sempre è accecamento; può essere anche osservazione. Un'osservazione capillare, maniacale. Con tua madre, sono vissuto nove anni; ne aveva diciotto quando ci siamo sposati, ne aveva ventisette quando ci siamo lasciati. Ho avuto tutto il tempo di studiarla a fondo. Naturalmente, all'inizio, lo studio era invaghito, contemplativo. L'amavo e mi piaceva guardarla. Poi, quando presto, molto presto, mi sono accorto che la mela aveva il baco, cioè che lei non era fedele, l'osservazione ha cessato di essere disinteressata, è diventata pratica: l'osservavo per sapere, come, quando e con chi mi tradiva. È stato allora che Otello si è alleato con Iago. Ma, Mario, tu non devi credere che l'osservassi con odio. Con distacco, sì, ma sempre con amore.

Semplicemente, volevo amarla così com'era e non come avrebbe fatto comodo a me che fosse. Con i suoi difetti oltre che con le sue qualità, anzi soprattutto con i suoi difetti. Nello stesso tempo, mentre volevo sapere tutto di lei, volevo che lei non sapesse che io sapevo. Lo vedi che cos'è un burattinaio? Un burattinaio è qualcuno che sa tutto del burattino, ma il burattino non sa nulla del burattinaio e soprattutto non sa che il burattinaio sa che lui non sa."

C'è stata una pausa. Mio padre ha acceso una seconda sigaretta con il mozzicone della prima. Al buio, ho visto le due sigarette accese toccarsi, poi una delle due è andata a spegnersi nel portacenere fissato con un passamano sul bracciolo del divano. Mio padre ha ripreso: "Dicevamo il modo col quale ho anatomizzato il comportamento di tua madre. Come ti ho detto, tua madre, pur essendo un Don Giovanni femminile, non era mondana: la sua vita era quella di chi non ha tempo da perdere in società; si era, per così dire, emarginata da sé. In compenso sfruttava a tappeto tutte le occasioni che le offriva la sua giornata casuale e vagabonda. Per esempio, mettiamo, c'era una gara di tennis, ci andava, adocchiava un tennista, gli parlava, ci faceva l'amore poi passava da questo a un altro e poi ancora a un altro. Oppure era la volta degli stilisti, si faceva vestire da un sarto, poi da un altro, poi da un altro ancora e ogni volta era un'avventura. Oppure si metteva a frequentare l'ambiente della televisione, cominciando magari da qualcuno di quell'ambiente che l'aveva fermata per strada. E così via e così via. Insomma tutti le andavano bene purché fosse una cosa rapida e breve, perfino gli intellettuali."

"Perché dici: perfino gli intellettuali?"

"Perché era incolta, tua madre, e gli intellettuali la mettevano a disagio. Ma lasciamo andare. C'era, però, un ambiente che lei non aveva ancora rastrellato ed era il mio, quello del mio lavoro. Forse per un senso di insicurezza che le ispirava la mia presenza; forse soltanto perché non ci aveva pensato, non so. Poi, ad un tratto, tutto è cambiato."

Mio padre ha taciuto un momento, come per sottolineare l'importanza del cambiamento. Ho chiesto, tanto per riempire il silenzio: "Che cosa è avvenuto?"

"Chissà. Forse in quel momento non aveva a portata di mano un nuovo territorio di caccia. Forse si è illusa di potere instaurare la sua vita parallela dentro la mia stessa vita. Ad ogni modo mi sono accorto che prendeva di mira proprio il mio ambiente di lavoro."

"Come hai fatto ad accorgertene?"

"In passato non avveniva mai, dico mai, che si facesse vedere in agenzia. Improvvisamente, ecco che prende a venirci ora con un pretesto, ora con un altro, si può dire tutti i giorni. All'agenzia, in quegli anni, c'era molto più da fare che oggi, e per questo eravamo in cinque: un impiegato vecchio che aveva fatto una grande pratica nel ramo; un altro impiegato molto giovane, un bel ragazzo, elegante e distinto, che curava le relazioni mondane; il contabile, un uomo di mezz'età; il mio socio; e, naturalmente, io. Va da sé che il pretesto di tua madre per frequentare l'agenzia ero io. Va da sé che ho subito escluso che venisse per me. Restavano gli altri quattro. Ho eliminato l'uomo anziano che conosceva bene il mestiere: era troppo vecchio e inoltre troppo affezionato alla moglie e alla famiglia. Ho anche tolto di mezzo il contabile, un uomo mediocre, squallido. Restavano il giovanotto bello ed elegante delle relazioni mondane e il mio socio. Qualche cosa mi diceva che tua madre non veniva per il giovanotto, e lo sai perché? Perché lui le faceva la corte. Dirai: tanto meglio, no? E invece, io ti rispondo: tanto peggio. Già, perché lei, con la solita capricciosità, o, se preferisci, con il solito spirito di indipendenza, escludeva di poter far l'amore con un uomo che la corteggiasse. "La corte, la faccio io," diceva, "sono io a decidere." E infatti, anche questa volta è andata così: il giovanotto le faceva la corte; lei invece l'ha respinto e ha fatto la corte al mio socio."

Chissà perché a questa imprevista conclusione, per un

istante, ho avuto davanti agli occhi la scena fantasmatica di poco fa: mia madre che mi guardava stando a cavalcioni di un uomo che sedeva sul divano, un uomo di cui vedevo da dietro le larghe spalle e la testa folta di riccioli biondi. Non ho potuto fare a meno di esclamare: "Il tuo socio era un uomo alto, dalle spalle larghe, biondo?"

"Come fai a saperlo?"

"Avevo cinque anni quando la mamma mi ha portato a Parigi. I bambini ricordano. Me lo ricordo benissimo."

"Sì, Mario, il mio socio, che si chiamava Terenzi, era alto, con le spalle larghe e biondo. Ma debbo dirti una cosa, a questo punto, Mario: quando tua madre ha gettato gli occhi su di lui, io non ero più Otello e non ero ancora Riccardo De Sio, ossia Otello più Iago. Avevo, sì, pensato di combinare Otello con Iago, ma non ero ancora passato dalla teoria alla pratica. Eh, eh, non si cambia facilmente il carattere! Così, la corte fatta da tua madre a Terenzi, è stata per me una magnifica occasione per mettere in atto la teoria, e io, diciamo così, ci sono saltato sopra."

"Ma come ti sei accorto che la mamma, come dici, aveva gettato gli occhi su Terenzi?"

"Me ne sono accorto un giorno, dopo tre o quattro apparizioni pretestuose. Tua madre arriva, parliamo un momento di cose insignificanti, e poi, che è che non è, lei infila la porta della stanza accanto, che era quella, appunto, di Terenzi. Avevo da fare, sono rimasto seduto, ma la porta era aperta e ho sentito."

"Che hai sentito?"

"Nulla di particolare, nei discorsi: tua madre parlava di una sua amica che stava cercando casa, e chiedeva a Terenzi se l'agenzia avesse qualche cosa di disponibile; ma molto di particolare nelle risate con le quali accompagnava questa conversazione di affari."

"Quali risate?"

"Risate simili al verso di certi uccelli, nella stagione degli amori, risate di richiamo. In circostanze avventurose, tua madre che aveva una bellissima voce, faceva come gli usignoli alla bella stagione: gorgheggiava. Non ho mai capito da dove tirasse fuori questi che chiamo gorgheggi e che erano risate piccole, grandi, a fior di labbra, di gola, appena accennate, del tutto spiegate, e pur sempre intermesse senza alcuna ragione apparente, tra le frasi di un discorso qualsiasi e per niente comico. So soltanto che questo voleva dire l'avventura. Anzi, per essere esatti, stava ad indicare con assoluta precisione l'inizio dell'avventura. Allora, ascoltando questi suoi gorgheggi, ho deciso bruscamente di agire secondo la personalità nuova che mi ero creato, cioè di un Otello che fosse anche Iago, o, se preferisci, di un Iago che fosse anche Otello."

"E che cosa hai fatto?"

"Mi sono alzato dalla scrivania e sono entrato a mia volta nella stanza di Terenzi. Tua madre stava seduta da una parte della tavola, Terenzi dall'altra: atteggiamenti del tutto regolari, propri di qualsiasi ufficio. Ma tua madre rideva a gola spiegata, e Terenzi la guardava, turbato. 'Senti, Terenzi,' dico col tono casuale ma preciso dell'uomo d'affari, 'ho sentito quello che ti stava chiedendo Dina; perché intanto non le fai vedere l'appartamento di via Archimede? È proprio quello che la sua amica va cercando. Poi magari andrà a guardarselo per conto suo; ma intanto è meglio che Dina lo veda per lei subito, abbiamo delle offerte, non vorrei che l'occasione le sfuggisse.' Tua madre mi guardava, mentre parlavo, con occhi che via via parevano passare dall'espressione della perplessità a quella della gioia. Ha detto in fretta: 'Riccardo ha ragione. Bisogna andarci subito, magari stamattina.' Terenzi, lui, o non si era accorto che tua madre gli piaceva oppure si era accorto che gli piaceva troppo, e pareva intimidito da me. Ha osservato con riluttanza che non aveva, purtroppo, la macchina; era rotta, stava dal meccanico. E io, prontamente: 'Ma prendi la mia, prendete la mia e andateci. Aspetta, ti do le chiavi.' Hai mai visto qualcuno scappare? Così tua madre: si è alzata dalla seggiola, ha fatto per andar via, poi si è fermata un momento sulla soglia, guardandoci con impazienza, me e Terenzi, mentre io gli spiegavo quello che doveva fare e gli davo le chiavi della macchina e quelle dell'appartamento. Finalmente, come lui le è venuto accanto, l'ha afferrato per il braccio e letteralmente e indecentemente l'ha trascinato via. Non gorgheggiava più adesso, fremeva, non vedeva l'ora di correre all'appartamento di via Archimede e di gettarsi tra le braccia di Terenzi. Mentre andavano via, gli ho gridato dietro: 'Mi raccomando, fate le cose presto, riportatemi le chiavi prima dell'una,' e mi sono detto con lucidità che con quel 'fate le cose presto', intendevo in realtà dire: 'Fate presto l'amore.' Ma mi sono consolato così: 'Ecco, lei, tra una decina di minuti al massimo, farà con Terenzi quello che ha già fatto con tanti altri uomini. Ma questa volta lo farà perché sono stato io a volere che lo faccia'."

"Ti faceva piacere pensare questo?"

"Non lo so se mi faceva piacere ma certamente era qualche cosa di nuovo nel mio rapporto con lei. Alla fine non ero più escluso dalla sua vita, ma ci stavo dentro, proprio dentro, anzi la determinavo direttamente."

"Non hai pensato che ci stavi dentro in un modo, diciamo così, poco lusinghiero?"

C'è stato un lungo silenzio, come di riflessione. Poi mio padre ha detto tranquillamente: "Vuoi dire come mezzano di mia moglie? Certo che l'ho pensato ma, Mario, meglio mezzano che nulla, nulla affatto."

Adesso mi rendevo conto che la cosiddetta confessione di mio padre era oramai un interrogatorio; e che a sua volta l'interrogatorio stava sempre più riguardando non tanto il suo rapporto con mia madre, quanto ciò che il fantasma, poco fa, mi aveva fatto intravedere circa il rapporto di mia madre con me. Ma non ho potuto resistere ad una curiosità che sentivo al tempo stesso indiscreta e dolorosa, e ho chiesto: "E l'hanno fatto poi, quel giorno, l'amore?"

"Si capisce che l'hanno fatto. E con tanta violenza che, appena tornata a casa, verso le due, tua madre non ha mangiato ed è andata a ficcarsi direttamente sotto le coperte. Ho pranzato solo, poi sono andato nella camera da letto e mi sono seduto presso di lei, che se ne stava immobile, supina, con le gambe strette, come una mummia nel suo sarcofago. Non ho parlato, questa volta, mi sono limitato a guardarla. Ti sembrerà strano, ma in quel momento mi è sembrato di amarla più che mai, di amarla veramente per la prima volta da quando c'eravamo sposati. Ero entrato nella sua vita, sia pure per la porta di servizio, quella vita parallela da cui lei finora mi aveva escluso, e ci stavo dentro, ne facevo parte. E lei che mi aveva così spesso ingannato, era a sua volta ingannata. Ha dovuto sospettare qualche cosa perché mi ha chiesto vedendo che non mi decidevo a parlare: 'Che hai da guardarmi così?' Ho risposto, commosso e sincero: 'Ti guardo perché ti amo.' Era la verità: l'amavo anche perché, in qualche modo, avevo fatto l'amore con lei attraverso Terenzi, il quale non l'avrebbe mai fatto se io non avessi voluto che lo facesse."

Ho chiesto con impazienza: "Ma che ha a che fare tutto questo con il gioco della porta?"

"Ci vengo, ci vengo. Dopo quella mattinata nell'appartamento di via Archimede, tua madre e Terenzi hanno avuto un rapporto molto intenso, quasi d'amore, o per lo meno di tale intensità da dare loro l'impressione che fosse amore; smaniavano se non si vedevano; lei capitava ogni mattina all'agenzia; lui visibilmente aspettava con impazienza che arrivasse. Ma c'era l'inconveniente del luogo. A via Archimede, ormai, non potevano più andare; a casa di lui, c'erano la moglie e i bambini; lui non aveva una seconda casa; restavano o l'albergo o la macchina oppure la casa di lei, la mia casa. E allora," mio padre ha avuto a questo punto un accento di trionfo, "allora, Mario, ho fatto in modo che facessero l'amore, almeno una volta, a casa mia."

"A casa tua?"

"Sicuro, a casa mia. Era estate, la moglie di Terenzi se n'era andata con i figli a Forte dei Marmi, ma nella casa c'era una cameriera che avrebbe potuto far la spia. Sapevo tutto questo e alla fine, una di quelle sere, ho invitato Terenzi a cena."

"E poi?"

"E poi ho messo in atto il mio programma. Com'era il programma? Ecco: una volta Terenzi arrivato a casa, poco prima di pranzo, mi sarei assentato col pretesto di andare a comprare un gelato nella pasticceria di sotto. Ho calcolato che dovevo restare fuori di casa il tempo di un rapido, furtivo rapporto, cioè quei dieci, quindici minuti che ci volevano di solito a tua madre per raggiungere l'orgasmo. Quindi sarei arrivato col mio gelato e avrei avuto la soddisfazione di scorgere sulle facce di tutti e due che non avevano perduto il loro tempo."

"Sulle loro facce?"

"E già! Certe cose si vedono!"

"Ma, scusa, che soddisfazione provavi a vedere sulle loro facce che in tua assenza avevano fatto l'amore?"

"Te l'ho detto, la soddisfazione del burattinaio che dirige le mosse dei burattini! Ora veniamo al gioco della porta. Comunico a tua madre la mia decisione di invitare Terenzi a cena, dico il giorno e l'ora; lei approva, cambia discorso per un poco, poi ci torna su e mi fa: 'A proposito, l'invito a Terenzi mi ricorda che devo chiudere a chiave la porta del soggiorno.' Domando, fingendo ingenuità: 'Perché?' 'Perché questo gioco che fa Mario entrando la sera nel soggiorno quando meno me l'aspetto, non può più andare avanti. Pazienza, quando siamo soli. Ma quando c'è qualcuno a cena, come sarà domani il caso con Terenzi, proprio non sta bene che Mario faccia il suo gioco. Il bambino che piomba in pigiama nel salotto per il bacio della buonanotte sa troppo di famiglia piccolo borghese.' Hai capito? Già immaginava che in un modo o in un altro avrebbe potuto rimanere sola con Terenzi. Già si preparava per cinque, dieci minuti di amore sbrigativo e furioso. Tu dirai: ma come poteva sapere che saresti uscito per acquistare il gelato? Mario, non ci crederai, ma ci siamo incontrati: io che volevo tenderle la trappola e lei che non chiedeva di meglio che cascarci."

"Cosa vuoi dire?"

"Voglio dire che abbiamo avuto la stessissima idea nello stessissimo momento. E infatti, ecco. Viene la sera che ho invitato Terenzi. Lui arriva, mangiamo un'ottima cena, ma all'ultimo, ecco, non si sa come, manca il dessert: la cameriera porta a tavola una semplice fruttiera con la frutta di stagione. Avresti dovuto vedere tua madre; come colpita da un'ispirazione subitanea, esclama: 'Riccardo, con questo caldo, ci vuole un gelato. Perché non vai a prenderlo alla pasticceria qua sotto?'"

Ho osservato puntigliosamente: "Ma in questo modo, non eri più tu a tirare i fili dei burattini, ma lei. Tu eri il burattino e lei la burattinaia."

"Piano. Avevamo avuto la stessa idea ma io potevo ancora scegliere e lei no; potevo cioè ancora fare o non fare il burattinaio. Invece di stare fuori un quarto d'ora, potevo benissimo tornare dopo due minuti e sorprenderli in flagrante. Potevo e questo mi bastava."

"Ti bastava per che cosa?"

"Per avere l'impressione di essere io il burattinaio, di dirigere io le loro mosse."

"Ma non sarebbe stato meglio sorprenderli in flagrante?"

"Bravo! E allora mi sarei di nuovo trovato escluso; di nuovo fuori dalla vita parallela di tua madre. Con, in peggio, che non si sarebbe più fidata di me." Mio padre ha taciuto un momento, poi ha chiesto in tono casuale: "Ma si può sapere perché ci tieni tanto a che io ti dica com'è finito il gioco della porta?"

Mi sono affrettato a rispondere: "Non c'è nessun motivo preciso. Sono curioso, ecco tutto. Qualsiasi cosa che riguarda la mamma, mi interessa."

"Allora certo ti interesserà anche sapere come è finito il mio rapporto con lei."

"Certo, si capisce. Veramente, però, stavamo parlando del gioco della porta."

"Hai ragione, ciascuno pensa a sé, tu alla porta, io al mio matrimonio. Be', diciamo che sono finiti insieme, gioco e matrimonio. Tua madre, dunque, mi chiede di andare a prendere il gelato, io penso tra me e me: 'Guarda, ha avuto la stessa idea, mi prende di contropiede,' ma non dico nulla, annunzio che ci vado subito, domando persino di che sapore lo vogliono, poi esco in fretta e scendo in strada. La pasticceria si trova effettivamente quasi sotto casa, ma, come ho detto, bisogna che passino almeno dieci, quindici minuti. Invento dentro di me la scusa che la pasticceria è chiusa e che sono andato con la macchina a cercarne un'altra più in là; entro nella pasticceria, ordino il gelato; quindi, vedendo che anche lì c'è la televisione, mi accomodo su una seggiola e fingo di essere interessato alla partita. Sono anch'io tifoso, e la partita di solito mi appassiona; ma quella sera avevo altro da pensare! Mi dicevo: 'Ecco, si abbracciano, si baciano, si riabbracciano, si ribaciano; ecco, lui la stende sul divano, lei si lascia stendere; ecco c'è un po' di confusione, sono impacciati dai vestiti, hanno troppa fretta. Poi, ecco, adesso si sono sistemati per fare l'amore, lei sotto e lui sopra; ecco, lei sta a gambe aperte ciò che le riesce facile per via della minigonna e lui le sta dentro; ecco comincia il vero e proprio amore. Quanto può durare, quanto durerà?' Be', ho aspettato, alternando gli sguardi alla televisione con quelli all'orologio, circa nove minuti, ai dieci non sono riuscito ad arrivare. Prendo il pacco del gelato, pago lentamente, contando i biglietti, cercando gli spiccioli, rientro lentamente nel palazzo, chiudo lentamente le porte dell'ascensore e, una volta arrivato al piano, apro lentamente l'uscio di casa. Avevo calcolato bene; come sono entrato nel soggiorno ho visto subito che avevano fatto quello che avevo volu-

to che facessero e mi aspettavano appagati e tranquilli."
"Come hai capito che avevano fatto qualche cosa?"
"Dal loro modo di comportarsi, Mario. Lui si è dimostrato subito troppo tifoso, mi ha gridato con troppa enfasi che avevo perduto un momento eccezionale; tua madre, invece, più intelligente di lui, non ha saputo nascondere un sospetto, mi ha chiesto come mai ci avevo messo tanto tempo a comprare il gelato. Ho risposto con franchezza che la pasticceria era chiusa e che ero andato a prendere il gelato con la macchina, in un altro locale. E tutto è finito lì."
"Non mi sembrano delle grandi prove, che lui facesse il tifoso e che la mamma fosse stupita che tu ci avessi messo tanto tempo a tornare."
"C'era un'altra prova. Sul bracciolo della poltrona, quando sono uscito, stava posato un portacenere nel quale io stesso, poco prima, avevo schiacciato la sigaretta. Era pieno di mozziconi; durante la mia assenza qualcuno l'aveva fatto cadere a terra; le molte cicche che conteneva si erano sparse sul tappeto. Era chiaro che loro, nel trambusto dell'amore, l'avevano fatto cadere e non se ne erano accorti; ma il portacenere e le cicche stavano lì, per terra, parlanti."
"Ma tu hai detto che avrebbero fatto l'amore distesi sul divano. Allora, in che modo avevano fatto cadere il portacenere?"
"Piano. Ho detto così perché era la posizione più prevedibile. Ma ci sono tanti modi di fare l'amore su un divano."
Ho esitato, ho vinto la mia ripugnanza, ho detto con sforzo: "Per esempio?"
"Be', tanti. Per esempio Terenzi sta seduto presso il bracciolo; col gomito può benissimo far cascare in terra il portacenere."
"Perché mai? Perché avrebbe dovuto muovere il gomito?"
"Mettiamo che lei gli si fosse seduta sulle ginocchia e

che lui avesse mosso le braccia per meglio stringerla a sé. O forse era stata lei a far cadere il portacenere?"

"Col gomito, anche lei?"

"Già, col gomito. Ma, Mario, quello che importa non sono le prove, quello che importa è che in seguito sono avvenute alcune cose che hanno confermato punto per punto che il burattinaio quella sera aveva tirato i fili nella maniera giusta. Purtroppo però non si è fermato a tempo, ha esagerato e gli è andata male."

"Che vuoi dire con questo?"

"Che fa il burattinaio dopo essersi divertito a tirare i fili ai burattini? Si stufa e rimette i burattini nella scatola. Io ho voluto fare anche questo, Mario: rimettere tua madre e Terenzi nella scatola, cioè interrompere il loro amore. E qui ho sbagliato. I burattini a questo punto hanno scoperto, per modo di dire, che avevano i fili e si sono ribellati."

"Ho paura che questa metafora del burattinaio mi confonda le idee. Che cosa è successo, realmente?"

"Realmente, è successa una cosa molto semplice: ormai erano amanti, continuavano ad amarsi per conto loro e così sfuggivano al mio controllo. Riprendere il controllo voleva dire, per forza, interrompere il loro amore. Era il buon momento, del resto. Da molti indizi ho capito che tua madre si era stancata di Terenzi: era volubile, le piacevano le avventure, non le relazioni. Che fa, allora, il burattinaio? Scusami sono costretto ancora una volta a servirmi della metafora, ma è indispensabile. Sapevo che tra coloro che avrebbero volentieri soppiantato Terenzi nei favori di tua madre, c'era un cliente sudamericano, molto ricco, di quarant'anni. Voleva stabilirsi a Roma, cercava casa. Uno di quei giorni, prego tua madre di accompagnarlo a visitare un appartamento: da quando si era messa a frequentare l'agenzia, glielo chiedevo qualche volta, avevo già previsto che avrebbe potuto essere un trucco per far finire la sua storia con Terenzi. Tua madre, naturalmente, accetta e parte col sudamericano a visitare l'appartamento. Ora, avevo avuto cura di tenere Terenzi all'oscuro di tutto. Gli dico che alla tale ora vada nella tale strada, al numero tale e salga al tale appartamento dove troverà il cliente sudamericano. Avevo già dato la chiave al cliente, ne do una anche a Terenzi. Ero sicuro che il sudamericano appena si fosse trovato solo con tua madre, le sarebbe saltato addosso; secondo i miei calcoli, proprio in quel momento, sarebbe capitato Terenzi. E infatti, tutto avviene a puntino, come ho deciso. Terenzi arriva, sale all'appartamento, apre la porta con la sua chiave e trova lei e il cliente che, in mancanza di letto, facevano l'amore sul pavimento. Allora avviene tutto quello che avevo deciso che avvenisse ma, purtroppo, avviene anche qualche cosa di più: i due uomini si accapigliano, tua madre scappa ma non prima di avere appreso da Terenzi che ero stato io a mandarlo lì a sorprenderli. Sul momento, né lei né i due uomini mi hanno detto nulla. Ma il sudamericano non si è fatto più vedere; Terenzi con una scusa ha rotto il suo rapporto d'affari con me; e in capo a un mese, tua madre si è fatta invitare a Parigi dal fratello. Il pretesto per lei sei stato tu, voleva che suo fratello ti conoscesse. Io vi ho accompagnato all'aeroporto, credevo che sareste tornati al più presto. Invece era l'ultima volta che vedevo lei e te. Quello però che ancora oggi mi brucia è che ci siamo lasciati male, dopo lo scontro tra Terenzi e il sudamericano e un litigio tra lei e me. Speravo di riparare, spiegarmi; l'amavo, non ero più Otello e Iago fusi insieme, non ero più un burattinaio, ero un poveruomo innamorato di sua moglie e che temeva di perderla. Ma lei mi scrive subito dopo l'arrivo a Parigi, mi dice che tra di noi è tutto finito, mi proibisce di scriverle e comunque di farmi vivo. Forse, nonostante la proibizione, sarei ugualmente andato a cercarla a Parigi, dopo qualche tempo, appena la tempesta si fosse calmata; ma purtroppo, è morta appena un anno e mezzo dopo la sua partenza. È stata una fatalità, dal principio alla fine."

Per un poco abbiamo taciuto ambedue, ma lui aveva detto quello che doveva dire, mentre io non ero ancora arrivato a sapere tutto quello che volevo sapere. D'improvviso, non so da dove, con la naturalezza che è propria di ogni preoccupazione urgente ma inconscia, mi è venuto fatto di porre la domanda: "Dici che vi siete lasciati male e che avevate litigato. Ma perché avevate litigato?"

Con mia sorpresa, mio padre ha chiesto: "Ho detto così?"

"Sì, proprio così. Che ti bruciava che vi siete separati dopo un litigio con lei."

"Ah sì, è vero," la voce di mio padre si è fatta ad un tratto incerta e reticente, come se si fosse pentito di aver parlato, "sì, ci siamo litigati per un motivo, diciamo pure, futile."

"Ma quale motivo?"

"Quante cose vuoi sapere, era un motivo futile e basta."

"Futile perché?"

"Perché non era un motivo vero."

"Insomma, non vuoi dirlo."

"Per carità, te lo dico subito: tua madre mi rimproverava una frase che avevo pronunziato in un momento di rabbia. Le avevo detto che non ero affatto sicuro che tu fossi mio figlio. Come vedi una di quelle cose che si dicono per collera e mentre si dicono, si sa che non è vero. Una stupidaggine."

Sono stato zitto un momento. La spiegazione di mio padre non mi faceva nessun effetto. Mi colpiva semmai il fatto che non me lo facesse; anzi mi sono accorto di sperare che l'accusa corrispondesse alla verità, che davvero non fossi suo figlio. Certo, come ho pensato, il mio viaggio in Italia alla ricerca del padre, si rivelava ad un tratto quello che era stato fin dal principio, una delle tante trovate della mia spensierata e vorace disponibilità; ma nel momento stesso che si profilava la possibilità che mio padre non fosse mio padre, tutto quello che riguardava mia madre acquistava un'importanza oscura e fatale. Sì, ho pensato con ironia, ero come Colombo che aveva voluto approdare in Asia e invece aveva scoperto l'America. Ero partito da Parigi per cercare a Roma mio padre e vi avevo invece trovato mia madre. Ho chiesto a fior di labbra: "Ma insomma sono o non sono tuo figlio?"

"Ma si capisce, sei mio figlio; ho detto che non lo eri in un momento di collera; su questo non ci possono essere dubbi."

"Perché? La mamma aveva degli uomini, potrei essere figlio di uno di loro."

"No, Mario, ho una relativa certezza che sei mio figlio."

"Relativa?"

"Diciamo all'ottanta per cento."

"E se invece facessi parte del rimanente venti per cento?"

"A me l'ottanta per cento basta, Mario, non chiedo di più."

"Per quindici anni non ti è bastato. Se ti fosse bastato, ti saresti fatto vivo con me."

"Il passato è passato, Mario. Pensiamo all'avvenire."

Ho preferito a questo punto riprendere l'argomento del litigio: "Allora, tu e la mamma avete litigato. Tu gli hai detto che non ero tuo figlio. E la mamma che ha fatto?"

"Ha preso malissimo l'insinuazione che mi è sfuggita, come ho detto, in un momento di collera. Il litigio avveniva la notte stessa di quel giorno in cui avevo invitato Terenzi a cena. D'improvviso lei grida: 'Io con te non voglio più dormire. Vado a dormire in camera di Mario.' Così dicendo, salta giù dal letto, in camicia come era, esce infuriata e va a sistemarsi in camera tua. Ora, te la mostrerò tra poco la tua camera: l'ho conservata tale quale e vedrai subito che non è una camera in cui lei potesse dormire: c'è soltanto un letto a castello, di quelli con due letti sovrapposti, come le cuccette di un vagone letto; proprio un letto per bambini! Credevo che fosse, come si dice, un gesto, pensavo che sarebbe tornata durante la notte, e invece, niente! Naturalmente il giorno dopo ho cercato in tutti i modi di farle cambiare idea, ma non c'è stato verso. Ripeteva: 'Da qualche tempo ho trascurato Mario, d'ora in poi voglio dedicarmi a lui.' Insomma, da quella notte, ha dormito nella cuccetta sotto la tua."

Ascoltavo con crescente, vago malessere, poi d'improvviso ho capito: mia madre aveva provato rimorso di avermi costretto con quel suo incredibile sguardo imperioso, ad assistere fino alla fine al suo amore con Terenzi; la decisione di andare a dormire con me, voleva essere una specie di riparazione.

Ma risolta la questione del cambiamento di letto, ecco, se ne presentava un'altra: il rimorso di mia madre stava a indicare con certezza che quella notte io avevo fatto effettivamente il gioco della porta. Ora, però, qualche giorno prima, mia madre aveva preveduto, anzi, addirittura premeditato, di restare sola con l'amante e, a questo fine, aveva persino espresso a mio padre la volontà di chiudere a chiave la porta. Come mai, allora, proprio quella sera, la porta non era stata chiusa? Perché? Per negligenza di mia madre? Ma se era ammissibile che mia madre, confusa dalla passione, avesse dimenticato di inchiavare la porta, come era possibile che mio padre, che pretendeva di amarmi e allo stesso tempo aveva organizzato la trappola con così minuziosa lucidità, avesse tralasciato di prendere questa precauzione? Cercando di dare alla mia domanda un tono calmo di curiosità disinteressata, l'ho interrogato: "Va bene, hai teso una trappola alla mamma, e lei ci è cascata. Ma, pur sempre a proposito del gioco, toglimi una curiosità: avevi provveduto, la sera della trappola, a inchiavare la porta di cui mi servivo per sorprendere la mamma?"

"Non ti capisco, che vuoi dire?"

"Voglio dire: avevi provveduto prima della cena a controllare la porta e a chiuderla a chiave? Insomma, non hai pensato che avrei potuto vedere Terenzi e la mamma mentre facevano l'amore?"

Mi sono detto: "Eccolo incastrato. O l'aveva dimenticato ed è grave; oppure aveva constatato che mia madre aveva a sua volta dimenticato, e non ha provveduto a riparare la dimenticanza ed è ancora più grave." Ho aspettato a lungo, con acre, lucida ansietà, la risposta. E alla fine l'ho sentito dire, nel buio che lo nascondeva ai miei occhi: "Ti sembrerà strano, Mario, ma questo particolare, per quanto mi sforzo, non riesco a ricordarlo. Eh, eh, quindici anni, dopotutto, sono quindici anni."

"Come, non ricordi se hai chiuso a chiave la porta? Eppure sapevi benissimo che io ero abituato a fare quello scherzo alla mamma!"

"Non lo ricordo, Mario, mi dispiace, ma non lo ricordo."

"Ma era importante che tu la chiudessi. Possibile che non ricordi una cosa tanto importante!"

"Mario, non so cosa farci. A quel punto c'è come un buco nella mia memoria."

Avrei voluto gridargli: "L'hai dimenticato e io ho veduto quello che ho veduto e la prova che io ho veduto è che la mamma ha provato rimorso e ha voluto riparare andando a dormire con me." Ma ne sono stato trattenuto proprio dalla smania inquisitoria che adesso mi pervadeva e che mi pareva più forte del dolore stesso. Ho cavato di tasca l'accendino, ne ho fatto scattare la fiamma davanti al viso di mio padre e, mantenendo ferma la fiamma in modo che potessi guardarlo in faccia mentre parlavo, gli ho detto: "Tu e la mamma avevate lo stesso piano per quella sera. Secondo questo piano, almeno a stare a quello che hai detto, era previsto che lei e Terenzi dovessero restare soli dieci, quindici minuti. Ma c'era il pericolo che io facessi lo scherzo della porta e li vedessi. Possibile che tutti e due non avete pensato a me?"

Nel chiarore della fiammella ho visto mio padre sbarrare più che mai gli occhi, accennare di no con la testa: "Mario, forse ti abbiamo dimenticato tutti e due, ognuno per un motivo diverso."

Ho spento l'accendino e per un attimo ho quasi ammirato la simmetria del vissuto: il risultato cioè il male, era pur sempre lo stesso ma i motivi erano diversi: mia madre forse mi aveva dimenticato perché distratta dal desiderio; mio padre dalla gelosia. Ma poteva anche darsi che ambedue avessero dimenticato "apposta": lei per perversità e sadismo e lui per vendicarsi del tradimento sul figlio che riteneva non suo. Infine, c'era una terza doppia ipotesi: l'indifferenza: avevano ricordato e ciononostante non avevano fatto nulla. Questa ipotesi mi pareva la più giusta e infatti formulandola ho provato il dispiacere più acuto e più ragionevole: mio padre e mia madre non erano due mostri che coinvolgevano il figlio bambino nel loro intrigo coniugale. Erano soltanto due estranei.

Forse mio padre si è reso conto che stavo riflettendo sulla sua risposta. Ha ripreso con voce meno esitante, come appigliandosi ad un argomento inconfutabile: "Ma, Mario, perché pensare al passato; pensiamo al futuro, piuttosto. Io penso al futuro. Quando tu mi hai telefonato da Parigi, io ero felice, felice, felice. E lo sai perché? Perché vedevo davanti a me, nel mio futuro, la possibilità, anzi la certezza, di rifarmi una famiglia, come se quindici anni non fossero passati."

"Ma la mamma è morta."

"Tua madre è morta, sì, ma nel ricordo è viva. Tua madre c'è, Mario, e sta qui tra noi, e ci dice che tu ed io, siamo padre e figlio e d'ora in poi dobbiamo vivere insieme."

Su questa dichiarazione pronunziata al buio con enfasi convinta, mio padre si è alzato dal divano ed è andato ad accendere la luce del lampadario centrale. Ci siamo guardati un momento, abbagliati: "La confessione è finita, Mario, andiamo, vieni, ti mostro il resto dell'appartamento."

CAPITOLO TERZO

LA RIPETIZIONE

Ero partito da Parigi, come per gioco, come per un'avventura tra le tante che mi piaceva di affrontare nel mio perenne stato di disponibilità. Ma già durante la sera del mio arrivo, dopo la cosiddetta confessione di mio padre, mi sono accorto che l'avventura non c'era. Semplicemente era la vita di quindici anni fa, mai veramente cambiata né interrotta, che riprendeva il suo corso. Io avevo, come si dice in psicanalisi, rimosso il ricordo della scena a cui avevo assistito. Per quindici anni, questa rimozione aveva trasformato la mia vita in sogno. Adesso, mi ero destato alla realtà e mi rendevo conto, senza rimpianto ma anche senza soddisfazione che, almeno per quanto riguardava mia madre, il risveglio era definitivo. Semmai era proprio necessario svegliarsi, sapere? Forse no, ma stava di fatto che ormai mi ero svegliato e sapevo.

Alla sensazione di aver sognato per quindici anni, contribuiva anche un particolare di quella sera. Una volta tornato a letto, dopo aver assistito alla scena nel soggiorno, avevo aspettato a lungo che mia madre venisse egualmente a darmi il bacio della buonanotte, e alla fine mi ero addormentato. Mentre dormivo, mio padre, mia madre e Terenzi avevano finito di cenare, Terenzi se ne era andato e poi mia madre che, evidentemente, aveva cominciato a provare rimorso per avermi costretto ad assistere al suo amplesso, aveva ricordato a mio padre che era tempo che andassero a trovarmi in camera come tutte le altre sere. Mio padre aveva approvato e così erano venuti tutti e due nella mia camera, e mia madre mi aveva svegliato per darmi il bacio, mentre mio padre assisteva, ritto dietro di lei. Ora, tra la confusione provocata dal trauma e quella del sonno interrotto, io mi ero meravigliato di non vedere, dietro mia madre, Terenzi che ricordavo con precisione seduto poco fa accanto a lei sul divano del soggiorno. Come mai Terenzi era scomparso? Come mai mio padre ne aveva preso il posto, visto che non era nel soggiorno quando mi ero affacciato? Forse, la scena che avevo spiato mio malgrado prima di addormentarmi, era stata tutto un sogno, anzi un incubo; e in realtà la vita familiare non aveva subito alcuna interruzione nel suo corso abituale.

Ma, adesso, come ho detto, mi ero svegliato alla realtà e sapevo che, forse, avevo sognato per quindici anni, ma non quella notte. Questa constatazione mi ha ispirato una spossata, inerte malinconia. Sì, la vita aveva ripreso il suo corso dopo un'interruzione di quindici anni; ma cos'era, precisamente, nel mio caso, la vita? Ho preso a pensarci, o meglio a cercare di pensarci, perché la materia era oscura e ingarbugliata e quella specie di tristezza impotente mi rendeva difficile concentrarmi. Tuttavia mi è sembrato di capire che la vita, per quanto mi riguardava, era la sensazione dell'irreparabile. Nel momento stesso che avevo visto mia madre e Terenzi nel soggiorno, io sapevo adesso che avevo subito una perdita secca o se si preferisce, che avevo ricevuto una ferita inguaribile, anche se non potevo precisare che cosa avessi perduto, che specie di ferita mi fosse stata inferta.

Ma la vita era anche il mistero della simmetria dei comportamenti di mio padre e di mia madre. Si erano condotti come due estranei; ma perché erano estranei? Forse perché l'indifferenza che è propria degli estranei fa parte della vita, anzi è la vita stessa? Oppure perché l'estraneità era il male, cioè qualche cosa di assolutamente negativo che non potevo né dimenticare né perdonare e che si esprimeva nella mia domanda impotente: "Perché l'hanno fatto?" O addirittura: "Perché c'è il male?"

Come ho detto, mi è venuta una profonda malinconia mischiata di impotenza e di inerzia, proprio il sentimento opposto alla baldanza irresponsabile della disponibilità con la quale ero partito da Parigi. E con la malinconia è venuta la solitudine.

Quella stessa sera, dopo avere ultimato la visita dell'appartamento, mio padre mi ha portato in un buon ristorante del centro e lì, dopo un'ottima cena, mi ha esposto i suoi piani per me. Dunque: avrei dovuto collaborare con lui all'agenzia immobiliare, ricevendo e facendo telefonate, accompagnando i clienti a visitare appartamenti con la Mercedes di mio padre. Per questo lavoro avrei ricevuto uno stipendio e mio padre mi ha anche detto la cifra: era più di quanto potessi sperare e non ho potuto fare a meno di avvertire in questa sua generosità la stessa oscura volontà riparatrice che sospettavo in genere nelle sue ostentate manifestazioni di amore paterno. Lui ha notato la mia sorpresa e ci ha tenuto a dirmi che quel denaro me l'avrebbe dato in tutti i casi. Per lui, ha dichiarato con la solita teatralità, contava soprattutto la famiglia. Lui voleva rifarsi una famiglia, per ora cominciava da me. Poi, avrebbe pensato al resto.

Ho aspettato invano, nei giorni seguenti, questo "resto"; cioè, in sostanza, di conoscere la donna che, nella restaurazione della famiglia che mio padre stava pianificando, avrebbe preso il posto di mia madre. Io intuivo, o meglio sapevo quasi di certo, che questa persona esisteva; la sua presenza nella vita di mio padre mi era indicata dal fatto che lui non cenava né passava mai le serate con me. Vedeva, invece, ogni notte, una donna non tanto misteriosa che designava col termine generico di "compagna". Perché non me la facesse conoscere, non riuscivo a capirlo. Forse, come ho pensato alla fine, perché voleva mettermi alla prova nel mio ruolo di figliolo prodigo ritornato sotto il tetto paterno. Ma nel nostro caso, l'apologo evangelico non andava forse capovolto e lui non era forse il padre prodigo che dopo quindici anni di celibato tornava all'idea di avere un figlio e di farsi una famiglia?

Nell'attesa di conoscere la "compagna" di mio padre, attesa per nulla impaziente perché, come ho detto, ero piombato in fondo ad una specie di malinconico letargo, ho preso a fare una vita la cui funebre regolarità era direttamente collegata con il mio stato d'animo. La mattina prendevo il caffè insieme con mio padre, poi lui andava ai suoi affari dandomi un appuntamento alle dieci all'agenzia. Lavoravo con lui fino all'una, rincasavamo insieme, pranzavamo insieme. Nel pomeriggio, mio padre faceva la siesta alla maniera tradizionale, cioè si spogliava, si metteva a letto, dormiva un'ora o due, quindi si alzava e si vestiva di tutto punto. Poi, dopo essersi intrattenuto brevemente con me, se ne andava e non lo vedevo più fino al mattino dopo. Non ero tenuto ad andare all'agenzia nel pomeriggio; e le pochissime volte che ci sono andato, non ci ho trovato mio padre. Ora la solitudine originata dalla malinconia cominciava, appunto, nel pomeriggio.

Era una solitudine materiata di rinuncia e di fantasticheria. La rinuncia riguardava il luogo dove mi trovavo e, in generale, la mia vita fuori di casa e lontano dall'ufficio. Mi rendevo conto che vivevo in una città famosa per la sua bellezza che non conoscevo affatto, e che avrei potuto impiegare utilmente il mio tempo a visitarla. Ero anche consapevole che non sarebbe stato troppo difficile conoscere gente; oltre tutto mio padre si era più volte offerto di presentarmi a suoi parenti e amici. Ma così i monumenti di Roma come i parenti e gli amici di mio padre mi ispiravano un'insormontabile ripugnanza. Perché non ammetterlo? Io ero nello stato d'animo di chi ha avuto una delusione d'amore, e da una parte non riesce a liberarsene e dall'altra gli ripugna tutto ciò che potrebbe portarlo a dimenticarla.

In questa condizione dello spirito la fantasticheria ha fatto presto a prendere il posto del pensiero attivo e intraprendente. Alla fantasticheria, del resto, sono portato per natura. A Parigi mi avveniva spesso di passare delle ore sdraiato sul divano, senza leggere o scrivere o far nulla, sospendendo completamente il corso del pensiero e vagando con l'immaginazione da un oggetto all'altro. Questa volta, però, come mi sono accorto quasi subito, l'oggetto c'era ed era mia madre.

Di solito, in quei lunghi pomeriggi di primavera, andavo nel soggiorno, nella parte dove sapevo che mia madre, secondo l'espressione di mio padre, era solita "vivere", sedevo sul divano di fronte la televisione e pensavo a lei. Ci pensavo in due modi, sia ripetendomi quella vana domanda che sapevo senza risposta: "Perché l'hai fatto?" sia evocando con invincibile ostinazione l'immagine o meglio il fantasma di lei in atto di inforcare le ginocchia di Terenzi. Il fatto che mia madre fosse morta aggiungeva alla domanda e all'immagine un'aria di funebre impossibilità. Sì, avrei potuto continuare per anni a ripetere quella domanda e ad evocare quell'immagine ma nulla sarebbe avvenuto: la domanda sarebbe rimasta senza risposta e l'immagine senza spiegazione. Ma tutte e due avrebbero continuato a confermare che, effettivamente, "qualche cosa era successo".

Era un'ossessione e come tutte le ossessioni, specie quando per qualche motivo inconscio accettiamo di esserne complici, non era del tutto sgradevole. La domanda: "Perché l'hai fatto?" era patetica e, per questo, anche consolatoria; l'immagine aveva un indubbio carattere erotico che, però, non riguardava soltanto Terenzi e mia madre, ma anche me, ed ecco perché. Logicamente avrei dovuto cancellarla, abolirla, far sì che ciò che rappresentava non fosse mai avvenuto. Ma non vedevo altro modo di abolire l'oltraggio che l'immagine mi faceva, se non attraverso la ripetizione dell'oltraggio stesso secondo un'oscura e istintiva legge del taglione; cioè, in termini più spicci, mettendomi al posto di Terenzi grazie a un rapporto in tutto simile e dunque incestuoso con mia madre. A questa conclusione contribuiva un'esperienza analoga che non molto tempo prima avevo fatto a Parigi. In sostanza io ero geloso di Terenzi; ora, a Parigi, mi ero liberato di un'analoga gelosia rifacendo di persona ciò che mi aveva reso geloso.

Pochi mesi prima di partire, avevo avuto un rapporto d'amore con una ragazza di nome Monique che frequentava il mio stesso corso all'università. Non era stata, in fondo, che un'avventura molto superficiale; ma il giorno in cui, per la prima volta, Monique era mancata ad un appuntamento, non avevo potuto fare a meno di rimproverarla con inspiegabile violenza: "Tu non sei venuta all'appuntamento perché eri con qualcun altro e ci hai fatto l'amore; di' la verità." Mi aspettavo che negasse, forse lo speravo; invece mi sono sentito rispondere in tono calmo e intrepido: "Si capisce, sono stata con Paul e abbiamo fatto l'amore."

A queste parole, mi ero gettato su Monique, l'avevo rovesciata sul divano, le avevo strappato lo slip, l'avevo penetrata, avevo eiaculato quasi subito, e tutto questo in pochi istanti e in silenzio. Subito dopo, siamo rimasti l'uno sull'altra, l'uno dentro l'altra, immobili e del tutto esausti a causa della repentinità e violenza dell'amplesso; e io avevo avuto nettissima la sensazione che questa specie di stupro aveva cancellato dal corpo di Monique il corpo di Paul e che il mio seme aveva lavato via il seme che Paul aveva versato nel ventre di lei. Pur giacendo sul corpo della ragazzina con gli occhi chiusi come se mi fossi assopito, avevo cercato di analizzare e di definire questa mia curiosa sensazione di obliterazione e di purificazione. Perché adesso non provavo più il senso di gelosia furiosa che mi aveva spinto a rifare esattamente ciò che il mio rivale aveva fatto? Eppure il tradimento era avvenuto ed era, in senso sentimentale, irreparabile. Monique, a questo punto, aveva confermato senza volerlo la mia riflessione, con la stessa sincerità cruda e testuale con la quale poco prima mi aveva annunciato il proprio tradimento: "Adesso non sono più di

Paul, sono di nuovo tua." Allora, ripensando alla frase di Monique, e riferendola a mia madre, mi sono detto che quest'ultima mi aveva certamente tradito e che io avrei dovuto cancellare il suo tradimento nello stesso modo col quale avevo cancellato il tradimento di Monique.

Senonché mia madre era morta. E il paragone con Monique, pur ardito fino ai limiti dell'incesto, si tingeva di funebre, definitiva impossibilità. Non potevo sostituire Terenzi in una realtà purchessia; la strada verso l'incesto era sbarrata da una tomba. Ma come mi sono accorto subito, avrei potuto sostituire Terenzi nell'immaginazione, modificando la scena da me spiata quindici anni or sono, mettendo me al posto di Terenzi e una donna che ne facesse le veci, al posto di mia madre. Come nelle cure omeopatiche, avrei, insomma, tentato di guarire del mio male con una rappresentazione del male medesimo.

Del resto questo ricorso ad una rappresentazione mi era suggerito da quella stessa immaginazione alla quale pensavo di chiedere aiuto. Capivo ormai che, con l'andare del tempo, se non avessi sostituito mia madre con una sua sosia, in una recita esorcizzante della scena originaria, avrei pensato sempre più a lei, direttamente e con immediati deplorevoli effetti di desiderio incestuoso. Ricordare mia madre in quei solitari pomeriggi in casa di mio padre, era diventato sempre più facile, rituale e pericoloso; alla domanda: "Perché l'hai fatto?" si andava sostituendo a poco a poco la domanda: "Perché non lo faccio?" Ma come farlo? Sedevo per ore sul divano, davanti alla televisione, accendevo lo schermo, spegnevo ogni altra luce e rigiravo la mia tentazione senza venire a capo di nulla. La scena tra mia madre e Terenzi, scena a lungo rimossa e che adesso, dopo averla tratta dal fondo più cupo della memoria in cui aveva giaciuto ignorata per tanto tempo, mi accadeva di evocare sempre più spesso, pareva essere dotata di un'inestinguibile e al tempo stesso incomprensibile vitalità. Ecco, nel buio, mia madre appariva, saliva a cavalcioni sulle ginocchia dell'amante; ecco si chinava da una parte ravviandosi i capelli che le piovevano sulla faccia e si adoperava a facilitare la penetrazione; ecco prendeva ad andare avanti e indietro con i fianchi; ecco mi vedeva e mi ingiungeva di non muovermi e di assistere fino alla fine all'amplesso; ecco, l'orgasmo avveniva, lei spalancava la bocca come se urlasse; ecco, crollava ad un tratto con la faccia sulla spalla dell'uomo leccandogli, grata e sperduta, l'orecchio e il collo.

A che cosa miravo evocando più e più volte queste immagini traumatiche? In fondo, a mettere me stesso al posto di Terenzi, e a fare quello che Terenzi faceva. Ma, al tempo stesso, singolare contraddizione, a ristabilire con l'incesto, sia pure immaginario, il mio antico rapporto casto e affettuoso con mia madre.

Uno di quei pomeriggi, dopo le solite evocazioni, sono caduto in un sonno profondo dovuto in parte allo scirocco caldo e piovoso che incombeva da molti giorni su Roma e in parte alla stanchezza originata dalle mie ostinate e funebri fantasie. Allora, in un sogno più vivo della vita, ho sognato la scena seguente: mia madre aveva appena inforcato le ginocchia di Terenzi che ecco ne scendeva e veniva verso di me. La vedevo avvicinarsi, fare il gesto di tirarsi su la minigonna, apprestarsi a salirmi addosso. Per farlo, si chinava in avanti, mi metteva una mano sulla spalla. Questa mano, però, si appoggiava con troppa forza, anzi prendeva a scuotermi e a un tratto mi sono svegliato.

Una donna stava scuotendomi con la mano sulla spalla e nello stesso tempo si chinava verso di me chiamandomi per nome; ma non era mia madre bensì la cameriera di mio padre, Oringia.

Oringia era una slava di Trieste; ancora giovane, con una faccia cavallina dai piccoli occhi azzurri molto infossati, dal naso e dal mento sporgenti e bisbetici. Subito ho capito perché mi scuoteva. Ogni pomeriggio verso le cinque mi portava un tè; anche quel giorno l'aveva portato ma io dormivo; lei allora aveva cercato di svegliarmi. Immediatamente, con istantanea ispirazione, mi sono detto: "Ecco la donna con cui posso ripetere la scena; farò recitare a Oringia la parte di mia madre." Mentre così pensavo, l'ho guardata con attenzione nuova, e ho visto che nonostante quella sua testa di fattucchiera era abbastanza attraente nella persona: grande, larga di fianchi, il seno e il sedere voluminosi, le cosce e i polpacci grossi. Era un corpo plebeo molto diverso da quello di mia madre; ma che importava? Quello che stavo per chiederle oltrepassava ogni limite di somiglianza, veniva da una volontà di analogia che non conosceva limiti, né fisici né altri. Naturalmente Oringia si è sentita guardare e ha chiesto sollecita: "Lo vuole il tè? Lei si era raccomandato che glielo portassi, altrimenti l'avrei lasciato dormire."

Ero ancora turbato dal sogno; e mi sono accorto che il mio turbamento non le sfuggiva. Ho balbettato qualche cosa sulla stanchezza provocata dallo scirocco romano. Intanto mi tiravo su dal divano.

"Vuole che glielo versi? Devo metterle lo zucchero? Lo vuole col latte o col limone?"

Mi muoveva queste domande con voce dolce, resa ancor più dolce dalla dolcezza del dialetto nativo. Le ho detto con sforzo: "Grazie, Oringia, farò da me."

"Non vuole che la serva?"

"No, non è questo: non capisco perché mi sono addormentato. Sarà stato davvero lo scirocco."

Aveva messo nel tè due zolle di zucchero; adesso andava girando il cucchiaino con la mano un po' gonfia e rossa, piegandosi verso di me che quasi mi sfiorava la fronte col naso. Ha detto poi, rialzandosi: "Lei, signor Mario, sta troppo solo. Ecco perché si è addormentato. Perché non si prende un po' di svago?"

Ho risposto seccamente e ambiguamente: "Il mio svago è la televisione."

Non si è affatto scomposta di fronte alla mia freddezza. Come un cane da caccia che frughi un cespuglio in cui si nasconde la preda, aveva fiutato il sesso e non era disposta a rinunziare ad un'ormai legittima familiarità: "Anch'io guardo la televisione. Ma ogni tanto esco, vedo gli amici, vado a ballare. Non ha una fidanzata, lei, signor Mario?"

Ho pensato a Monique: "Sì, ce l'ho, ma a Parigi." E poi, subito dopo, ricordando che a Parigi c'era anche la tomba di mia madre, ho soggiunto con crudeltà: "E infatti nel momento che lei è venuta, stavo facendo un sogno in cui mi pareva di vederla."

"E che faceva?"

"Faceva qualche cosa che non ho voglia di dire."

"Qualche cosa di particolare?"

"Diciamo pure così."

"Faceva l'amore, signor Mario?"

Questo suo tono rispettoso e servile, ardito e lusinghiero mi ha fatto decidere: "Oringia, avrei bisogno di un piccolo favore da lei."

"Dica, signor Mario."

"Ecco, vorrei che lei facesse una certa cosa che forse potrà sembrarle strana e persino ridicola."

"Perché ridicola, signor Mario?"

"Non mi faccia tante domande. Dica sì o no."

"Perché si arrabbia? Mi spieghi invece che cosa dovrei fare?"

"Ecco, vorrei che lei, per un momento mi salisse sulle ginocchia, con le spalle alla televisione, e guardasse la porta che sta dietro il divano, e, poi mi dicesse cosa vede."

È rimasta zitta così a lungo che mi è venuto il timore di averla offesa. Ho aggiunto in fretta: "Non è che una specie di gioco. Non chiedo altro. Può stare tranquilla."

"Sarebbe lo stesso gioco che faceva in sogno con la sua fidanzata di Parigi?"

"E se anche fosse così?"

"Niente, ma si sa come vanno a finire giochi come questi."

"Con me, no."

"Lo sa che lei è strano," il tono era già meno deciso.
"Le pare?"
"Sì, molto strano."
"E allora?"
"Mi fa pensare anche a me a un gioco. Lo facevo con mio padre, da bambina. Prima mi faceva trottare sulle ginocchia, poi apriva le gambe e io cascavo per terra. Anche lei mi farà cascare per terra?"
"Stia tranquilla, non la farò cascare per terra."
"Lo sa che è strano." Ma pur protestando, adesso tirava su la gonna, apriva le cosce grosse e rozze e si sistemava alla meglio sulle mie ginocchia. Allora, ho capito ad un tratto che la cura omeopatica era fallita prima ancora di cominciare. Sì, avrei potuto ripetere la scena fino ad urtare, col mio, il pube gonfio e rilevato che intravedevo in fondo alle gambe, chiuso in uno slip rosa acceso. Ma nello stesso momento che avessi provato l'inevitabile turbamento, mi sarei accorto di desiderare lei, la cameriera slava di mio padre, e non il fantasma che or ora mi era apparso in sogno. E infatti, così è stato. Oringia ha spinto in avanti i fianchi. I nostri due pubi si sono scontrati; ho provato un indubbio desiderio e mi sono immediatamente tirato indietro, domandando: "Adesso dimmi cosa vedi?"
"Non vedo nulla, cosa dovrei vedere?"
"Cosa vedi dietro il divano?"
"Una porta."
Stavo per dire: "Non vedi forse un bambino di cinque anni, in pigiama e a piedi nudi?", ma mi sono trattenuto e ho mormorato: "Grazie, Oringia, va bene così, basta," e l'ho respinta con dolcezza.
È discesa in fretta dalle mie ginocchia; ha preso a stirarsi la gonna con le due mani: "Non capisco quello che lei voleva da me. Forse una cosa losca."
Ho sospirato: "Niente di losco; una cosa, semmai, impossibile."
Ha ripetuto incredula: "Impossibile?" E poi, subito dopo

con improvvisa, brusca decisione: "Allora se lei non ha nulla in contrario, io torno di là."

"Grazie, Oringia."

Appena è uscita, ho preso a riflettere. Ora capivo che dovevo, come si dice, "fare qualche cosa"; avevo la mente eccezionalmente lucida, come avviene, appunto, quando si sta per agire. Allorché Oringia aveva detto: "Lei è troppo solo, signor Mario", avevo subito intuito che dovevo spezzare ad ogni costo la spirale perversa di solitudine e di fantasticheria in cui mi ero lasciato inghiottire dal giorno del mio arrivo a Roma. Non dovevo più stare solo, come mi consigliava la buona Oringia; e, se era possibile, non dovevo più pensare a mia madre. Ad un tratto, ho ricordato l'incontro in aereo con le due donne, madre e figlia. Mi avevano dato il loro numero di telefono; non ne avevo fatto uso a causa della malinconia; ma adesso mi sentivo invogliato a cercarle. Era non soltanto la benevolenza che mi aveva dimostrato la madre ad attirarmi; ma anche l'impulso a confidarmi che questa benevolenza mi aveva ispirato. Senza indugio mi sono alzato dal divano, sono andato nel corridoio dove era la mensola del telefono, ho guardato nel mio taccuino, ho formato il numero.

Il telefono ha squillato più volte; alla fine una voce bassa, riluttante, strascicata, ha detto un "pronto", pieno di impazienza e di malumore. Benché avessi riconosciuto la voce della figlia, ho insistito per sapere chi era; mi ha risposto come malvolentieri: "Alda." Allora con la gioia del naufrago che vede una nave profilarsi all'orizzonte, ho esclamato: "Alda, sono Mario."

"Mario, chi?"

"Mario, la persona che avete incontrato un mese fa sull'aereo che veniva da Parigi. Non ricorda?"

"No."

"Stavo seduto accanto a sua madre, dormivo. Poi mi sono svegliato e abbiamo parlato. Sua madre si chiama Jeanne, non è vero?"

Moltiplicavo i particolari, ma avevo l'impressione che lei avesse capito benissimo chi ero.

"Si chiama Jeanne, è vero, e allora?"

Ho detto ancora: "Ricordo che lei era indignata perché, dormendo, pesavo addosso a sua madre."

"Non ricordo proprio."

"Ma sì, sono alto, magro, molto magro, coi capelli arruffati in cima alla testa e un naso con la punta per aria."

Ad un tratto l'ho sentita ridere: "Come Pinocchio!", e ho esclamato: "Lei mi sta prendendo in giro!"

"No, perché, non è forse vero che lei ha un naso che sembra quello di Pinocchio?"

"Dica la verità, è ancora arrabbiata."

Ha risposto con improvvisa, maldestra amabilità: "No, caso mai Jeanne ed io, siamo arrabbiate perché non si è fatto vivo."

Ho provato un sentimento di sorpresa: mi sembrava inverosimile che una persona così solitaria e così disperata come me, potesse interessare qualcuno. Ho finto, però, di accettare il rimprovero e mi sono scusato: "Ho avuto da fare. E poi non sapevo veramente se vi avrebbe fatto piacere."

"Perché, vuole che glielo ripeta? Sì, ci avrebbe fatto piacere."

"Mi scusi, ma perché avrebbe dovuto farvi piacere?"

"Auffa, se le dico di sì! Abbiamo tante volte parlato di lei. Dicevamo: chissà se si ricorda di noi; chissà quanta gente conosce; non avrà tempo; si sarà dimenticato di noi. Aspetti che la faccio parlare con Jeanne. È qui che mi fa dei segni da lontano. Non vede l'ora che le ceda il telefono. Ecco Jeanne."

Provavo il sentimento bizzarro di chi è stato preso per un altro come nelle commedie classiche basate sui gemelli. Dopo l'agonia di quel mese passato in una solitudine funebre, non riuscivo a riconoscermi nel personaggio mondano che le due donne mi avevano costruito addosso. Ma, al tempo stesso, avvertivo nella sollecitudine adulatoria di Alda, qualche cosa di intenzionale e quasi di programmatico, come se avessero saputo benissimo che ero solo e derelitto ma, per qualche loro motivo, avessero finto di ignorarlo. D'improvviso la voce di Jeanne, con la riconoscibile cantilena acuta e allegra della parlata parigina, ha squillato al telefono: "Mariò, che bella sorpresa. Bravo, come mai non ci ha telefonato prima?"

"Non ho potuto."

"Via, che poteva. Se si vuole si può. Semplicemente si era dimenticato di noi."

Con l'originario impulso a confidarmi, ho subito spiattellato la verità: "Non ho davvero potuto. Altrimenti l'avrei fatto, lei mi ispira, chissà perché, una enorme fiducia. In mezz'ora di aereo le ho raccontato tutto su me stesso. Mi avrà preso per un chiacchierone. La prego di credere che era la prima volta in vita mia che mi succedeva, non lo faccio mai."

"Non si spaventi, ci ha raccontato una quantità di cose interessanti; ma proprio per questo ci dispiaceva che non ci telefonasse, volevamo apprendere il seguito, come nei romanzi a puntate. E allora come sta, Mariò, come sta?"

Le ho risposto che stavo bene e così speravo fosse di lei. Ha detto a sua volta: "In questo momento sto bene perché sono contenta di parlare con lei. Dunque, veniamo alla puntata del romanzo: ha trovato suo padre?"

La voce, nella cornetta del telefono, non era ironica ma allegra e affettuosa; ho detto: "Lei mi prende in giro."

"Per niente. Qualcuno che viene a dirci in aereo che va alla ricerca di suo padre, non può non interessare! Come Télémaque! Come gli orfani nei romanzi dell'Ottocento! L'ha trovato, allora!"

"Sì."

"Ed è come se l'aspettava?"

Ho esitato, quindi mi sono accorto che, come in aereo, questa donna che avevo visto una volta sola e non conoscevo mi ispirava una fiducia e una confidenza irresistibili: "Non proprio."

"Scommetto che se l'immaginava, bello, aristocratico, seducente, uno di quegli italiani brizzolati e virili, sui cinquant'anni, che sono più belli che a venti, non è così?"

"Non me l'immaginavo affatto, a dire la verità; ma ugualmente sono stato deluso."

"Perché, è molto brutto?"

Travolto da non so quale bisogno mimetico di gareggiare con lei in allegria, ho risposto allegramente: "Si figuri che ha i piedi piatti!"

"Che orrore, i piedi piatti!"

Ho sentito che rideva e ho rincarato: "Sì, i piedi piatti come Charlot, attore che detesto, l'uno di qua e l'altro di là. E poi è basso, ma con delle spalle da facchino, e una faccia ignobile, che fa pensare a quella di certi servitori di Molière: Sganarello, Mascarillo, Coviello, i quali sostituiscono i padroni e alla fine prendono un sacco di botte."

Sfoggiavo la mia conoscenza scolastica della letteratura francese; e lei, con una risata e una frase: "Come conosce bene i suoi classici", ha mostrato che, da brava ex insegnante, apprezzava la mia citazione. Ho continuato: "Veste sempre come un capitano di marina di lungo corso: una giacca blu a bottoni d'oro e pantaloni di flanella grigia. Non gli manca che il berretto con l'ancora d'oro sulla visiera!"

"Oh, come è cattivo, lei! Ma almeno è un buon padre?"

"Questo sì. Vuole ricostituire la famiglia. Per cominciare, mi dà perfino uno stipendio!"

Ha chiesto improvvisamente con voce mutata: "Ma da dove telefona lei?"

"Da casa, voglio dire, dalla casa di mio padre."

"Non crede che sarebbe meglio che non parlasse in questo modo dalla casa di lui? Non è molto corretto, non le pare?"

Ho sentito che arrossivo di nuovo e ho pensato: "Al diavolo la pedante." Ho protestato: "È lei che me ne ha fatto parlare."

"Non importa. Vediamoci piuttosto."

Ho chiesto, mogio: "Dove?"

Mi aspettavo un invito a colazione: dopotutto mi aveva fatto un'accoglienza eccezionale quanto inspiegabile; invece ha risposto, dopo un momento di riflessione: "Lei conosce un luogo che si chiama Villa Balestra?"

Ora, per una curiosa combinazione, non avevo ancora visto San Pietro e il Colosseo, ma conoscevo Villa Balestra. Era un giardino pubblico situato nello stesso quartiere dei Parioli nel quale si trovavano per lo più le case che mio padre mi incaricava di far visitare ai suoi clienti. E io ci andavo ogni tanto a sedermi su una panchina e a leggere un libro oppure i giornali francesi che compravo in una cartoleria situata nello stesso quartiere. Ho risposto con slancio: "Sì, la conosco benissimo, c'è persino un bar."

"Allora, troviamoci lì, ma non al bar, è pieno di gente. L'aspetterò su un banco domani alle quattro. Va bene? A domani, allora."

CAPITOLO QUARTO

LA GONNA PIEGHETTATA

Così, il giorno dopo, mi sono recato a Villa Balestra, ai Parioli. Impaziente, ero in anticipo sull'ora dell'appuntamento. Per un poco ho cercato di perdere tempo camminando da una strada all'altra, lungo le cancellate traboccanti di vecchie edere polverose; mi sono perfino fermato davanti al cinema del quartiere, altra mia frequentazione abituale, a guardare le fotografie del film del giorno; infine mi sono attardato ad esaminare i libri nella cartoleria, dopo averci comprato i giornali francesi: ero contento di essere in anticipo e di bighellonare; provavo il delizioso senso di felicità prematura e rimandata che ispira un'avventura di sicuro successo.

Alla fine ho visto che l'ora dell'appuntamento era quasi passata e sono andato di corsa a Villa Balestra. Come ho varcato il cancello, il grande prato rettangolare in cui consisteva la villa, mi è apparso deserto. Era presto, faceva caldo, i visitatori non sarebbero venuti prima del tramonto.

Ho alzato gli occhi verso il cielo: i fogliami rotondi degli smilzi, altissimi pini, lassù, sullo sfondo dell'immensa deriva di cirri dello scirocco, non palpitavano e svariavano al vento come gli altri giorni, ma apparivano opachi e immobili; i cipressi neri e ritti stavano fermi come sentinelle ai quattro angoli del prato. Aldilà del parapetto, il panorama dei tetti e delle terrazze di Roma si stendeva, senza luce, velato dall'afa, fino alla remota, minuscola cupola di San Pietro.

Poi ho visto Jeanne: una figura femminile seduta tutta sola con un libro in mano, su un banco a ridosso della muraglia di cinta. L'ho riconosciuta dalla gonna ampia e pieghettata; anche in aereo aveva una gonna simile e ricordavo di avere fatto la riflessione realistica che la fittezza di quelle pieghe serviva senza dubbio a nascondere una insolita larghezza dei fianchi. Ma pur camminandole incontro lentamente e tranquillamente mi sono detto che appunto per questo forse lei mi incuriosiva. Il contrasto tra la maschile magrezza del viso e la femminilità pesante del corpo mi attraeva come qualche cosa di particolarmente significativo che in modo oscuro mi riguardasse. Poi, ad un tratto, ho capito e mi sono detto: "Sì, altro che mia madre, discola e sfrenata con la sua vita parallela piena di uomini! Questo è il tipo di donna a cui dovrei pensare, a cui dovrei volere bene, con il suo viso sagace e il suo corpo materno!"

Queste riflessioni mi hanno ricordato il misterioso impulso a confidarmi che, in aereo, mi aveva ispirato Jeanne. Vedendola laggiù lontano sul suo banco ho provato di nuovo l'impulso e un senso di felicità mi ha gonfiato l'animo: avrei parlato di me stesso con abbandono; lei mi avrebbe ascoltato con interesse. Con il senso di grata gioia di chi, facendo un piacere a se stesso immagina di farlo anche all'altro, mi sono avvicinato e ho detto con voce tremante, tutto di un fiato: "Buongiorno, sono Mario, mi scusi, è molto che aspetta?"

Ha guardato in su: "Già dieci minuti, ma non importa. Adesso segga qui e mi dica tutto."

Mi sono seduto: "Tutto su che cosa?"

"Su se stesso."

"Lei sa già tutto. Sono così chiacchierone."

"Non sia così modesto. Poi se lei è chiacchierone, io in compenso sono curiosa. Così andiamo d'accordo."

"Lei si interessa veramente a me?"

"Oltre che chiacchierone è anche vanitoso! Certo, altrimenti non saremmo qui insieme, su questo banco."

Ho proposto con il solito involontario trasporto: "Perché non ci diamo del tu?"

"Perché dovremmo darci del tu? Non siamo mica dei compagni di scuola."

Ho sentito che arrossivo e ho detto mortificato: "Se non vuole continui pure a darmi del lei."

"Ecco che arrossisci come una signorina! Hai troppo amor proprio, veramente!"

Quel "tu" casuale e affettuoso mi ha fatto piacere. Non ho potuto fare a meno di dire: "Il fatto è che provo con te un bisogno irresistibile di confidarmi. Non so cosa sia, è più forte di me."

Ero sincero e al tempo stesso non lo ero anche perché sentivo che questa mia sincerità curiosamente non mi avvicinava di un solo passo a Jeanne. Doveva essere così anche per lei perché ho avvertito qualche cosa di sforzato nella sua approvazione: "Lo vedi, e io da parte mia sento un gran bisogno di apprendere qualche cosa di più su te."

Ho detto: "Sono nato a Roma, se è ciò che tu vuoi sapere; ho vent'anni; mio padre è un uomo d'affari, ricco, ha un'agenzia immobiliare però non vive solo di questo, ma anche del fitto di appartamenti di sua proprietà, qui ai Parioli..."

Mi guardava fissamente in una maniera imbarazzante tra indulgente e ironica. Ho proseguito: "Sono vissuto a Roma fino all'età di cinque anni. Poi mio padre e mia madre si sono separati. Mia madre è andata a vivere a Parigi con me, in casa di un suo fratello. Mia madre, all'epoca della separazione, aveva ventisette anni, dopo due anni è morta."

"Di che cosa è morta?"

"Di peritonite."

"E tu cosa hai fatto?"

"Che cosa hanno fatto di me, vuoi dire? Avevo sette anni, mio zio ha continuato a tenermi in casa sua."

"Non aveva figli tuo zio?"

"Sì, due, un maschio e una femmina."

"Che fa tuo zio?"
"L'importatore di vini italiani."
Ci siamo guardati con imbarazzo. Poi l'ho vista alzare le spalle con impazienza: "Che importa tutto questo! Ti ho chiesto di parlarmi di te. Che me ne importa che tuo padre abbia appartamenti e tuo zio importi vini italiani."
"Tu mi hai chiesto di dirti tutto su di me. Ti sto dicendo tutto."
"L'importazione dei vini italiani e gli appartamenti ai Parioli sarebbero tutto?"
"Dimmi tu quello che vuoi sapere."
"Le cose veramente importanti. Per esempio: dici di essere un poeta ma non hai scritto poesie. Che vuol dire questo?"
"Ebbene, che c'è di strano? Credo di essere un poeta, è una credenza molto diffusa e poco originale."
"E invece è originale." Ora dopo quel suo primo momento di impazienza, era tornata al tono affettuoso: "Ed è uno dei motivi perché mi interesso a te. Come si fa a credersi poeta senza aver mai scritto una sola poesia? Allora spiegami almeno che specie di poeta saresti!"
"Appunto un poeta che non ha scritto poesie."
"Ma le tue poesie, secondo te, le avrebbe già scritte un altro. Non è bizzarro?"
Adesso ero contento che mi parlasse di poesia, anche se, come sentivo, la poesia serviva da copertura, per lei e per me, a qualche altra cosa: "Non ho scritto poesie, perché le mie poesie le ha già scritte Apollinaire."
"E perché non Mallarmé o Rimbaud o Baudelaire?"
Sentendomi molto a mio agio di fronte all'interrogazione tutta letteraria anzi scolastica, ho risposto con sicurezza: "Perché Mallarmé è troppo astratto e raffinato, Rimbaud troppo egocentrico e rivoltato, Baudelaire troppo moralista e disperato. Non ho nulla in comune con questi tre poeti."
"Eppure sono più grandi di Apollinaire."

"Sì, è vero, Apollinaire è inferiore a tutti e tre, è sentimentale, sensuale, superficiale, bric-à-brac. Qualcuno l'ha chiamato 'brocanteur'. Ma mi somiglia o meglio io somiglio a lui. Per esempio anche lui non conosceva suo padre, anche lui aveva il difetto della disponibilità."

"Ah già, la disponibilità, me ne hai già parlato in aereo. Perché non vorresti essere disponibile? Non è bello essere disponibile?"

Ho risposto senza riflettere: "Perché mi fa fare delle stupidaggini, come lasciarmi andare in aereo a delle confidenze a persone che non conosco."

"Grazie."

Ho arrossito, mi sono corretto: "Ad ogni modo mi fa fare cose che poi penso che era meglio non fare. Per esempio sul mio viaggio a Roma, non ti ho detto la verità. In fondo, non sono venuto a Roma per conoscere mio padre, ma per pura e semplice disponibilità. Di avere o non avere un padre, non me ne importa nulla."

"Ti sei pentito di essere venuto a Roma?"

"Mi sono pentito di esserci venuto senza necessità. Non avevo alcun bisogno di un padre."

Mi guardava, sorridente e indulgente: "Ma insomma com'è questo padre?"

"Ieri, te lo stavo descrivendo al telefono. Ma tu mi hai interrotto, dicendo che non stava bene che io parlassi male di lui dalla sua casa."

"Va bene, ma adesso siamo qui, puoi farlo. Insomma, che genere di uomo è?"

"È un attore."

"Un attore? Poco fa hai detto che era un uomo d'affari!"

"Non mi sono spiegato bene. È un attore nella vita, non di professione."

"Ho capito. E almeno recita bene?"

"Recita la parte del padre. No, non recita bene. Quasi sempre da istrione. Qualche volta pare sincero, ma allora è peggio."

"Perché è peggio?"

"Perché un istrione completamente falso si può guardarlo come uno spettacolo; ma un istrione che sia sincero mette a disagio."

"Che c'è di sincero nell'istrionismo di tuo padre?"

Ho riflettuto con serietà prima di rispondere. Mi rendevo conto che Jeanne, quasi d'istinto, voleva arrivare, con queste sue domande, a ciò che consideravo il segreto della mia vita. Già, perché se avessi parlato della parte sincera dell'istrionismo di mio padre, non avrei potuto fare a meno di parlare anche di mia madre; e ho capito subito che l'impulso a confidarmi, pur così forte all'inizio, si fermava qui, come una nave la cui chiglia abbia incontrato improvvisamente, nelle profondità del mare, un ostacolo misterioso e insormontabile. Ho detto un po' vagamente: "Mio padre è sincero quando parla della famiglia. Ne ha una grande nostalgia, vorrebbe rifarsene una."

"Con chi?"

"Per cominciare, con me."

"Ma chi sarebbe la donna che sostituirebbe tua madre?"

"Non me l'ha detto. So che ha una donna, la vede tutte le sere. Forse è lei. Ad ogni modo, quando parla di famiglia, è sincero, ma al tempo stesso anche più istrione del solito, e questo mi mette a disagio."

"Ma a te farebbe piacere vivere in famiglia con questa donna e tuo padre?"

Ho finto di esitare, in realtà stavo pensando ad altro. Adesso, forse per sfuggire al suo non disinteressato interrogatorio, mi domandavo se Jeanne mi piaceva e la guardavo per la prima volta con l'occhio del seduttore. Mi rendevo conto, è vero, che ancora una volta cedevo alla tentazione della disponibilità; ma mi sono giustificato pensando che qualsiasi uomo al mio posto, di fronte ad una benevolenza così pronunziata, si sarebbe comportato nello stesso modo.

Ecco, dunque, Jeanne. Sedeva impettita, dritta; la giubba corta, dello stesso lino grezzo della gonna, era aperta e lasciava intravedere la camicetta bianca entro la quale traspariva, tenuamente roseo, il seno magnifico e giovanile che sorprendeva in una donna come lei, più vicina ai quarant'anni che ai trenta. Poi il mio sguardo è disceso sotto la vita, si è fermato sui fianchi che si disegnavano appena sotto le pieghe della gonna. Allora ho notato qualche cosa di singolare, ho creduto di non vedere bene e ho concentrato la mia attenzione. Sì, era proprio vero, mentre mi andava interrogando con severità di maestra, senza parere di nulla, si era avvicinata a me e adesso il suo ginocchio, sotto tutte quelle pieghe a fisarmonica stava quasi impercettibilmente spostandosi verso il mio. Il movimento era reso visibile dalle pieghe che via via che la gamba si spostava, diventavano meno serrate, si aprivano. Ho alzato gli occhi: Jeanne aveva un'espressione di disagio e mi guardava in maniera interrogativa e supplichevole. Come in attesa di una risposta ad una sua muta domanda.

Ma invece che a lei, ho voluto rispondere a me stesso. Mi piaceva Jeanne? Mi sono subito detto che, forse, così, teoricamente, non mi dispiaceva; ma che di certo, non provavo alcun desiderio per lei. Quel vivo sentimento di speranza che poco fa mi aveva tanto commosso, adesso si palesava per quello che era: il frutto ingannevole della solitudine. Ma bisognava pure rispondere. Ho detto con sincerità: "No, non mi farebbe piacere. Non mi vedo vivere in famiglia con mio padre e la sua donna."

Il ginocchio, a questa risposta che doveva sembrarle incoraggiante, ha avuto ancora uno spostamento deciso anche se minimo, confermato da un minimo spiegamento delle pieghe della gonna. "E allora se è così, perché stai con tuo padre?"

Mi sono stretto nelle spalle: "Non lo so, ancora non conosco la sua compagna, starò a vedere."

"Starai a vedere che cosa?"

"Quello che succederà. Penso che per ora resterò a Roma e lavorerò nell'agenzia di mio padre. Poi vedrò."

C'è stato questa volta uno spostamento addirittura brutale della gamba, quasi un urto. Ha esclamato con vivacità: "Come, vedrai? Vuoi restare sotto il tetto di qualcuno che sarà anche tuo padre ma che consideri un istrione, un buffone, ma che uomo sei?"

Ho voluto sottrarmi al contatto duro e insistente del ginocchio, ho cercato di modificare la posizione del mio corpo. Ma si vede che non ho saputo regolarmi: eccomi ad un tratto con l'intera coscia premuta contro la sua. Ha esclamato con una veemenza destinata senza dubbio a nascondere il proprio turbamento: "Non mi senti? A che stai pensando?"

"A te."

Ha chiesto con speranza: "Perché a me?"

Ho corretto: "Voglio dire che stavo pensando a quello che mi hai detto. Sì credo proprio che per ora resterò da mio padre. È un'esperienza come un'altra. La farò, poi quando si sarà esaurita, deciderò."

"Un'esperienza come un'altra! Un'esperienza, farsi mantenere da un completo estraneo! A questo ti senti portato dalla tua eterna disponibilità, non è vero?"

Ho sospirato: "Sì, forse è così, ma non c'è bisogno di ricordarmelo."

"Ma non ti rendi conto che un altro al tuo posto farebbe le valigie e se ne andrebbe?"

"Sì, me ne rendo conto."

"Allora?"

Questa volta ho fatto un grande sforzo e mi sono spostato francamente sul banco, staccando la mia coscia dalla sua. Ho detto con risolutezza: "Io non sono un altro."

"Che cosa vuoi dire?"

"Voglio dire che tra i miei problemi, non c'è quello di restare o non restare a casa di mio padre."

L'ho vista lanciare uno sguardo in basso verso il banco, come per misurare la distanza che avevo messo tra me e lei. Quindi, arditamente: "Qual è ora il tuo problema?"

Ho pensato che stavamo parlando della stessa cosa: se accettavo o meno il messaggio che mi inviava attraverso i contatti del suo corpo con il mio. Mi sono detto: "E perché non accettarlo, dopotutto?" e ho risposto conseguentemente: "Il mio problema è la disponibilità."

"Sempre la disponibilità! Perché non ti lasci andare un po' di più!"

"Proprio questo non voglio."

"E perché non vuoi?"

"Dall'esterno mi vengono continuamente come delle obbligazioni a fare cose che non mi sento di fare. Io vorrei, invece, ubbidire a impulsi, diciamo così, interiori."

"Dammi un esempio."

Mi esasperava la sua pedanteria, come di maestra con uno scolaro ottuso. Ho detto con brutalità: "Per esempio, se tu mi facessi capire che ti piaccio, ecco mi sentirei subito disponibile, anche se, in realtà, non provassi alcun sentimento per te."

L'ho vista successivamente prima confondersi e poi indurirsi: "Ma io non voglio farti capire nulla del genere."

Avrei voluto rispondere: "Allora perché poco fa hai tanto tartassato il mio ginocchio con il tuo?", ma mi sono trattenuto e ho detto un po' esasperato: "Mettiamo allora che tua figlia mi dimostrasse qualche simpatia. Be', mi sentirei subito portato a fare l'amore con lei, così, senza sentimento, per pura disponibilità."

Ha esclamato, ridendo: "Ma è piccola, non ha che tredici anni. Che ti viene in mente, ti piacciono le bambine?"

Ho risposto, intrepido: "Le bambine? E perché no?"

"Non mi pare un gran segno di disponibilità fare l'amore con me oppure con Alda. Tutti gli uomini sono più o meno disponibili in questo modo."

È stata un momento zitta; poi ha soggiunto negligentemente, in maniera imprevista: "Non ci avevo ancora pensato; in fondo non ho nulla in contrario. Va bene, comincia allora ad essere disponibile con me."

Ho creduto di non avere sentito bene. Ma no, avevo sentito benissimo, me lo confermava l'aria patetica, incerta, imprudente che nel suo volto era subentrata alla solita espressione di sagace razionalità. Ho stornato gli occhi: "Tu meriti meglio."

"Io non merito nulla."

Ho mentito: "E poi c'è il fatto che ho un'altra donna nella mia vita."

"Non me l'avevi detto."

"Tu non me l'avevi chiesto."

"Senza dubbio una donna attirata anche lei dalla tua disponibilità, non è così?"

Avevo mentito senza pensare a nessuno di preciso. Poi ho ricordato il mio tentativo di ripetere con Oringia la scena dell'amore di mia madre con Terenzi e ho capito: ciò che avevo considerato una bugia, era invece la verità; era mia madre o meglio, il ricordo di lei che mi impediva di desiderare Jeanne; e ho avuto paura di un'ossessione che si insinuava persino nel rapporto con una donna che avrebbe potuto piacermi. Ho detto in fretta, con l'impressione questa volta di non mentire: "Sì, ma è una cosa che non può durare e dovrà finire al più presto."

L'ho vista abbassare gli occhi, mortificata: "Così per entrare nella tua vita, dovrò aspettare che questa donna misteriosa ne esca?"

"In un certo senso, sì."

"Ma lei sta a Roma o a Parigi?"

"A Parigi."

"E tu le sei molto attaccato?"

"Purtroppo, sì."

"Mi pare che non ci resta altro da fare che approfondire la nostra amicizia. Diventeremo amici, sei contento ora?"

A mia volta, mi sono sentito frustrato: ho temuto improvvisamente di perdere Jeanne, dopo averla respinta: "Perché, ti ho deluso?"

"No, affatto. Ma c'è l'altra, la donna che sta a Parigi."

Ho provato un sentimento quasi di orrore: adesso qualche cosa che finora non era esistito che nella mia fantasia, si imponeva come realtà anche nel reale. Ho ricordato il nostro turbamento, di Jeanne e mio, poco fa, al momento che mi ero presentato e non ho avuto dubbi che ciò che aveva svuotato di desiderio la nostra reciproca attrazione, era stato proprio quel fantasma crudele ed enigmatico che mi era apparso durante la visita dell'appartamento paterno. Ho protestato con sufficiente sincerità: "Ma se ti ho detto che è qualche cosa che sta per finire!"

Questa volta non ha parlato, si è limitata a contemplarmi come da lontano, scuotendo dolcemente la testa. Allora ho fatto un gesto, impreveduto anche per me stesso: mi sono piegato da un lato, il viso sulle sue ginocchia, ripetendo confusamente: "Credimi, te lo giuro, sta per finire."

Non ha detto nulla, ma non mi ha respinto. Ho sentito la sua mano farmi una leggera carezza sui capelli. Quanto tempo sono stato così? Forse pochi secondi ma che mi sono sembrati lunghissimi. Poi una voce femminile insieme sgarbata e infantilmente canzonatoria mi ha fatto trasalire: "Buon giorno, signor Mario De Sio. Mi dispiace di disturbarla, ma la buona educazione vuole che la saluti."

CAPITOLO QUINTO

LA VITA LENTA E LA SPERANZA VIOLENTA

Mi sono levato in fretta, confuso e abbagliato. Ritta davanti a noi, Alda, la figlia di Jeanne, ci guardava con maliziosa impazienza, più simile che mai, con le gambe lunghe e magre e il busto corto e stretto, ad un puledro appena nato che non sappia ancora camminare e tuttavia ci provi: "Ma lo sapete che sto qui impalata da un'ora ma eravate tanto occupati tra di voi che non vi siete accorti di me?"

Jeanne non si è scomposta, doveva essere abituata alla rudezza della figlia: "Ma che dici?"

"Lui con la testa sulle tue ginocchia e tu che lo accarezzavi. Cosa credete che non vi ho visti. Vi ha visti tutta Villa Balestra."

Era un tono curioso tra il compiacimento sia pure ironico e, strano a dirsi, la gelosia. Jeanne ha chiesto, indifferente: "Ma dove eri andata?"

"Sono andata fino in fondo alla villa, oltre al bar e lì, per un'ora almeno, dico un'ora, ho giocato con il cane. Tutto questo per lasciarvi soli. Tieni, vai a prenderlo e poi riportalo qui." Queste ultime parole erano rivolte a un piccolo cane bianco e lanoso che tutto fremente le stava ai piedi, con la testa alzata verso di lei, un sasso in bocca. Gli ha strappato il sasso dai denti, l'ha lanciato lontano; il cane è corso via ruzzolando durante la corsa. Ha concluso, sarcastica: "Congratulazioni! Eravate proprio carini!"

Jeanne la considerava distratta come pensando ad altro. Poi si è alzata dal banco: "Io me ne vado. Mariò, se ti fa piacere vederci, ci troverai ogni giorno su per giù a quest'ora, qui, a Villa Balestra. Noi abitiamo in quella casa là." Si è girata e mi ha indicato i piani superiori di una palazzina bianca che spuntavano al di sopra della muraglia di cinta del giardino pubblico. "Villa Balestra, in un certo modo, è il nostro giardino. Allora a presto. Tu che fai, Alda? Vieni via con me?"

"No, rimango qui. Portati via il cane, però. Dopo, vado da Emilia a ripetere la lezione."

Jeanne ha chiamato il cane e si è avviata verso l'uscita del giardino. L'ho guardata di sfuggita mentre si allontanava, forse per confermarmi l'impressione di maternità che mi faceva il contrasto tra il viso magro e il corpo dai fianchi larghi e dal seno esuberante. Alda che si era seduta a sua volta sul banco, ha notato il mio sguardo e mi ha chiesto, pur sempre sardonica e dandomi del tu: "Jeanne ti piace, non è vero?"

Mi sono stupito; non ero preparato ad una frase così: "Perché me lo domandi?"

"E tu perché ti sei voltato a guardarla?"

Così eravamo già nel mezzo di un battibecco, intimo fino all'imbarazzo! E avevamo scambiato finora soltanto poche parole per telefono! Ho cercato di cambiare argomento e non ho trovato nulla di meglio che parlarle dei suoi occhi. Ne avevo già notato, nell'aereo, lo sguardo insieme torpido e voglioso, adesso questo sguardo mi colpiva di nuovo in modo inspiegabile. Ho detto bruscamente: "A proposito di sguardi, e tu perché guardi in quel modo?"

"In che modo?"

Ho cercato di precisare a me stesso l'impressione che mi facevano gli occhi di Alda; ad un tratto ho capito: era l'impressione del già visto, del già vissuto, del già sofferto che mi aveva fatto a prima vista il soggiorno nell'appartamento di mio padre. Ma anche questa volta non sono stato capace di varcare la soglia oscura della memoria. Ho finto un'esattezza da oculista, mi sono chinato a guardare con scrupolo e poi ho descritto con scherzosa pedanteria: “La pupilla ha un aspetto assonnato perché la palpebra è abbassata e la taglia a metà, come a chi non ce la fa a stare sveglio. Ma al tempo stesso potrebbe anche essere uno sguardo non di sonno ma di desiderio. Allora diciamo pure che i tuoi occhi hanno un’espressione tra sonnolenta e desiderosa.”

“Desiderosa di che?”

“Che ne so. Di tutto, probabilmente.”

“Di tutto eh? Ma insomma come sono? Belli o brutti?”

“Non è la bellezza l’importante.”

“E che cos’è allora l’importante?”

“Non lo so.”

“Ma io voglio sapere: per te sono belli o brutti?”

“Sono belli.”

“E il mio viso, com’è?”

“È un viso come di bambola.”

“Così, alla fine, ho gli occhi come quelli di una bambola. Cioè imbambolati. Grazie. Ma io non c’entro ed è inutile che fingi di interessarti a me. Quando è chiaro che chi ti interessa veramente è Jeanne.”

“Perché la chiami Jeanne e non mamma? Non sei forse sua figlia?”

“L’ho sempre chiamata Jeanne. Forse perché siamo così diverse. Non mi hai ancora risposto: ti piace Jeanne?”

Non ho potuto fare a meno di domandarmi: Alda che risposta voleva da me? Che Jeanne mi piaceva o che Jeanne non mi piaceva? Poi ho pensato che mi conveniva in tutti i casi rispondere affermativamente e ho detto con sufficiente sincerità: “Non può non piacermi. È bella e poi mi dimostra tanta simpatia.”

Mi ha considerato senza voltarsi con uno sguardo obliquo e ambiguo: “Stai attento.”

“Attento a che cosa?”

“Al tuo posto non mi farei troppe illusioni. Fa sempre così. Prima ti fa quattro moine, poi si tira indietro e tutto finisce lì.”

"Tutto, che vuol dire tutto?"

"Tutto ossia la cosa a cui lei non fa che pensare notte e giorno."

"E cioè?"

"Questo."

"Ma che dici?"

"Dico: questo."

Mi ha lanciato un'altra delle sue occhiate oblique, tra il sonno e il desiderio; poi ha abbassato gli occhi. Ho seguito il suo sguardo e ho visto che teneva le due mani riunite sul ventre a formare un anello col pollice e l'indice della mano sinistra nel quale andava avanti e indietro con l'indice della destra. Era chiaramente un gesto che alludeva alla penetrazione sessuale; ma fatto senza la volgarità che di solito lo ispira e l'accompagna, come da chi non sapesse dirlo con la parola. Ha soggiunto: "Ma non preoccuparti, forse questa è la volta buona. Sapessi quanto mi parla di te e come era delusa perché non telefonavi! Stai tranquillo, ti aiuterò. Puoi contare su di me."

Ora tra tante novità che la mia disponibilità si sentiva di affrontare, questa della figlia ragazzina che faceva da mezzana alla madre, era una delle poche che poteva, se non fermarmi, almeno stupirmi. Ero così meravigliato che ho creduto di avere sentito male: "Tu dici che mi aiuterai; ma per fare che cosa?"

Ha lanciato un altro sguardo allusivo alle sue mani tuttora intrecciate e ha detto con impazienza: "Auffa, lo sai meglio di me." È stata zitta un momento quindi ha ripreso in tono complice: "A Jeanne piace bere, soprattutto lo champagne; uno di questi giorni, vedrai, ti inviterà a colazione. Tu, allora, porti una bottiglia di champagne. Poi tra tutti e due la facciamo bere e allora farà l'amore."

Ho provato ad un tratto un senso di incredulità. Ho guardato i suoi occhi e vi ho colto come una luce di completa innocenza: "Ma tu sai cosa vuol dire fare l'amore?"

Si è guardata le mani e ha ribattutto, infastidita: "Vuol dire fare questo, no?"
"E questo che è?"
"Questo vuol dire fare l'amore. E poi non farmi tante domande."
"Chi ti ha insegnato quel gesto?"
"Una bambina a scuola."
"Ma quanti anni hai?"
"Ne avrò quattordici tra cinque mesi."
"Cioè ne hai tredici."
"E mezzo."
"E la tua amica quanti anni ha?"
"Quattordici, ma lei lo fa, l'amore."
"Con chi?"
"Con un ragazzo. Già da un anno."
"E tu?"
"Io che cosa?"
"Tu lo fai l'amore?"
"Non mi interessa, e poi sono troppo piccola."
"Ma la tua amica, almeno, te l'ha spiegato cos'è l'amore?"
"Auffa, no, non mi ha spiegato nulla, e io neppure gliel'ho chiesto. Se ti dico che non mi interessa."
"Ma ti interessa che io lo faccia con Jeanne, questo sì. Perché?"
"Perché sì."
"Che vuol dire: perché sì. Così rispondono i bambini."
"Io sono una bambina, no?"
"Via, che cosa vuoi farmi credere? Vuoi che io faccia l'amore con Jeanne, ma non sai che cos'è l'amore. Non è un po' troppo?"
"Troppo che cosa?"
"È come se tu mi dicessi di buttarmi dalla finestra; se però io ti domando perché dovrei farlo, tu mi rispondi: perché sì."
"Buttarti dalla finestra! Questo è l'amore per te?"
"In questo caso, sì."

"Dovresti farlo perché Jeanne ti piace, ecco tutto."
"Ancora una volta, chi te l'ha detto che mi piace?"
Mi ha fronteggiato con enigmatica intrepidezza: "Allora poco fa perché la toccavi col ginocchio?"
Così aveva spiato persino il quasi impercettibile movimento della gamba di Jeanne sotto le pieghe della gonna. Non ho potuto fare a meno di esclamare infantilmente indignato: "È stata lei a toccarmi."
"Tu o lei, che importa! L'importante è che vi siete toccati. Tocconi!"
Questo epiteto inventato lì per lì mi ha colpito sgradevolmente. Allo stesso modo che il verbo "toccare" insieme crudo e innocente, sapeva di banchi di scuola e di chiacchiere tra bambine: "Va bene, ci siamo toccati. E allora? Perché ti importa tanto?"
Si è meravigliata, come di una mia incredibile ingenuità: "Oh bella, perché a Jeanne importa avere un marito, e a me importa avere un padre."
"Ma che dici? Un padre? Io, un padre per te, con solo sei anni di differenza!"
"Sette."
"Sia pure: sette; che padre sarei?"
"Auffa, un marito chi è? È un uomo che vive con una donna, no? E se questa donna ha una figlia, come è il caso di Jeanne, allora non soltanto è un marito per la donna, ma un padre per la figlia. Insomma si forma una famiglia: padre, madre, figlia."
"Una famiglia, eh?"
"Già, una famiglia."
"Ma perché ti piacerebbe tanto avere una famiglia?"
"Perché non ce l'ho."
Ho ricordato a questo punto mio padre: anche lui voleva una famiglia perché non ce l'aveva. Alda ha soggiunto, dopo un momento di riflessione: "Con Jeanne, davvero non ce la faccio più ad andare avanti così."
"Perché?"

Ha riflettuto di nuovo con scrupolo: "Se Jeanne avesse un marito, non dovrei più stare alzata la notte, qualche volta fino all'alba, per tenerle compagnia. La mattina devo andare presto a scuola, così ho sempre sonno e alla fine non faccio bene i compiti e le suore mi sgridano."

"Fino all'alba! Ma a parlare di che?"

"Dell'amore."

"Di quale amore? Mi pareva di aver capito che Jeanne non ha un uomo."

"Infatti non ce l'ha ed è appunto per questo che parla d'amore. Se ci fosse un uomo in casa, tu o un altro, si sfogherebbe con lui e mi lascerebbe dormire in pace."

"Tutto qui? Vorresti un padre per poter dormire in pace?"

"Ti pare niente?"

"Non è poco ma non è neppure molto."

"A me basterebbe."

"Ma insomma Jeanne che cosa vorrebbe?"

"Lo sa soltanto lei. Immagino: far l'amore e non farlo, aver un uomo, non averlo." Improvvisamente si è alzata di scatto dal banco: "E se facessimo un giro per la villa?"

Si è avviata verso il fondo del parco, precedendomi. Sono rimasto un poco indietro per andare a riprendere i giornali francesi che avevo dimenticato sul banco e allora un po' come avevo fatto con Jeanne poco fa, ho voluto guardarla. Era alta, più alta forse di me, con gambe lunghe e perfette, ma magre e non ancora muliebri, che parevano risalire fino allo stomaco; si sarebbe detto che ad ogni passo andassero un po' per conto loro, dinoccolate e incerte. I blue jeans, attillati sui fianchi, strettissimi, sospesi un buon palmo al di sopra delle caviglie, accentuavano il carattere vacillante del suo modo di camminare; quasi pareva che non reggesse troppo bene il peso della capigliatura molto folta, sparsa a ventaglio sulle spalle. Si è accorta che la guardavo e ha domandato, voltandosi a metà: "Perché mi guardi?"

Come erano diversi dalla persona ancora adolescente, gli occhi scuri insieme vogliosi e torpidi! "Ti guardo perché mi stai davanti."

"Non è vero. Mi guardi come guardavi Jeanne poco fa."

Che cosa mi è successo? Senza tanto riflettere ho risposto: "Sì, ma c'è una differenza: Jeanne non mi piace, tu sì."

"Perché io ti piaccio e Jeanne no?"

Ormai ero lanciato ad occhi chiusi su una strada sconosciuta: "Perché non sento nulla per lei e per te, invece, sento qualche cosa."

Aveva colto un filo d'erba e lo stava masticando con un movimento riflessivo delle labbra di cui, per la prima volta, ho notato l'imbronciata sensualità: "Che vuoi dire che non senti nulla per Jeanne?"

"Voglio dire che non mi ispira nessun sentimento."

"Cioè che non potresti volerle bene?"

"No, che non provo alcun sentimento fisico. Che non la desidero."

"Che differenza c'è tra voler bene e desiderare?"

Ho pensato che era una domanda maliziosa. Ma mi è bastato uno sguardo al viso in qualche modo preoccupato di Alda per capire che nella sua mente non c'era che quella singolare, dispettosa complicità con la madre: "C'è una differenza enorme, un uomo lo sente subito."

"Ah sì, e che cosa sente?"

Ancora una volta, che cosa mi è successo? un turbamento improvviso venuto da chissà dove, mi ha bruciato le guance: "Sente che farebbe volentieri l'amore."

Ha puntualizzato, pedante: "Questo vorrebbe dire che vorresti fare l'amore con me?"

Ho capito finalmente da dove veniva il mio turbamento: dallo sguardo che Alda mi aveva rivolto poco fa, voltandosi e chiedendo perché la guardassi. Non soltanto perché i suoi occhi, in contrasto con la persona, erano di donna adulta; ma anche perché, una volta di più, mi era sembrato di avere già visto la stessa espressione negli occhi di un'altra donna. Ma quale donna? Mi sono accorto che esitavo di fronte al bordo buio della memoria; ho fatto uno sforzo per oltrepassarlo; ho sentito ad un tratto che ci ero riuscito: ma sì, adesso lo sapevo, non c'era da dubitarne, era lo stesso sguardo voglioso e torpido che tanti anni prima avevano avuto gli occhi di mia madre nel momento stesso che li distoglieva dall'oggetto del suo desiderio, cioè dal sesso dell'amante e li levava verso di me. È stato un attimo: ho registrato la somiglianza degli occhi e poi l'ho messa da parte come una mera coincidenza. Alda ha insistito per niente meravigliata da quella che era stata in fondo una dichiarazione d'amore: "Tu non vorresti far l'amore con Jeanne, ma con me. Ma come fai a saperlo?"

"Un uomo sa sempre quando desidera una donna." Ho esitato, ho concluso: "È una cosa che si sente." E non ho potuto fare a meno di aggiungere una conclusione alla conclusione: "E anche si vede."

"Si vede negli occhi?"

"Non soltanto negli occhi."

È stata un momento zitta poi ha chiesto sbadatamente: "Davvero! E dove si vede? Adesso, dove dovrei vederlo?"

Sono rimasto zitto; lei ha dichiarato in tono deluso e allusivo: "Se non vuoi dirlo, puoi anche non dirlo. Ma io non vedo proprio nulla."

"Non puoi vedere. Vedresti se fossi nudo."

"Ma perché adesso che sei vestito non si vede?"

"Perché ho fatto in modo di nasconderlo."

"In che modo?"

Esasperato ho deciso di coniugare il tono didattico con la massima crudezza: "Perché ho messo la mano nella tasca, l'ho afferrato e l'ho girato verso l'alto." Questa informazione è stata accolta da Alda con impassibilità. Ha chiesto parlando a sua volta del sesso senza nominarlo: "E se non fosse girato verso l'alto, si vedrebbe?"

"Certo."

"Molto?"

"Dipende. Secondo gli uomini. Chi più, chi meno."

"Allora lascialo andare e camminiamo lungo il parapetto. Io non ci credo che vuoi fare l'amore con me. Adesso vedrò se è vero."

Non ho detto nulla: mi colpiva la differenza tra il mio turbamento e la sua quasi scientifica oggettività. Ho tirato la mano fuori della tasca e ho preso a camminare accanto a lei, cercando di non guardare al rigonfio che faceva il membro sotto i pantaloni. Per fortuna la villa era ancora deserta; da dove stavamo fino all'estremità del prato non si vedeva nessuno, soltanto i banchi vuoti, i pini e i cipressi. Alda ha affrettato il passo con un piccolo salto per meglio guardare. Ha detto alla fine impressionata: "Hai ragione, si vede. Ma com'è?"

"È... rigido."

"Rigido?"

"Sì."

"E ti fa male?"

"No, ma mi vergogno."

"Quanto può durare?"

"Quanto il desiderio. Una volta soddisfatto il desiderio, torna normale e non lo vedi più."

Con precauzione, guardandosi intorno e tendendo il braccio ha sfiorato il rigonfio con la punta delle dita: "Mi fa impressione."

"Che impressione?"

"Non so, mi pare strano."

"Come, strano?"

"Prima non si vedeva e adesso si vede. E tu non hai fatto nulla perché diventasse rigido."

"Adesso basta. Lo rimetto in su."

"No, aspetta. E con Jeanne non ti è diventato rigido?"

"No."

"Allora non la desideri?"

"A quanto pare, no."

"Invece desideri me?"

"A quanto pare, sì."

Ormai eravamo giunti all'estremità del parapetto. Mi sentivo ridicolo con quel rigonfio nei pantaloni. Anche perché Alda, accigliata e riflessiva, pareva adesso pensare ad altro. Infatti mi ha fronteggiato e mi ha detto bruscamente: "Dimentica tutto questo."

Mi sono meravigliato: "Che cosa devo dimenticare, non è successo niente."

"Non ti chiedo che una cosa sola."

"Ma insomma che cosa vuoi da me?"

"Non essere così arrabbiato." Ad un tratto mi ha gettato le braccia al collo, così strettamente che mi è sembrato di soffocare. Mi sono dibattuto: "Ma che ti prende? Lasciami!"

"No, non ti lascio se non mi prometti una cosa."

"Ma quale?"

"Che farai l'amore con Jeanne."

"Ma se non provo niente per lei?"

È stata un momento immobile, come riflettendo, senza però allentare la stretta: "Provi, però, qualche cosa per me, no?"

"Sì."

"Ebbene, se non lo fai per lei, fallo per me. Fa' l'amore con Jeanne. E io ti vorrò bene come una figlia ad un padre; e saremo tutti e tre felici, tu, Jeanne ed io."

"Lasciami. Va bene, lo farò, ma lasciami."

"Giuramelo."

"Te lo giuro, ma lasciami."

Mi ha lasciato ed è scappata via, correndo in una maniera curiosa e maldestra, ora con un salto o due, ora con una corsa normale. Ho attraversato lentamente il grande prato della villa, sono uscito dal portale ma una volta giunto in via Ammannati davanti alla palazzina bianca che poco fa Jeanne mi aveva indicato dicendo che ci abitavano, mi sono fermato e ho guardato un momento in su, alla facciata. Pensavo alla nostalgia di Alda per la famiglia che non aveva e avrebbe voluto avere, così simile a quella di mio padre; e mi domandavo che specie di famiglia sarebbe stata, con la madre e la figlia rivali inconsapevoli. Tuttavia, il pensiero della felicità domestica tentava anche me, nel momento stesso che formulavo questa domanda dubbiosa e ironica: sì, una famiglia anche contraddittoria e lacerata, era preferibile alla solitudine. Allora, ad un tratto, venendo da chissà dove, mi ha investito una commozione impreveduta. Ho guardato alla facciata della casa, pensando che forse, lassù, dietro quelle finestre, si nascondeva, predestinato e già deciso, il mio avvenire. Mi sono ripetuto: "Vita, vita, dopotutto non mi hai tradito," ma quasi subito mi sono vergognato di queste parole emotive ed enfatiche. Ho ricordato Apollinaire: quanto meglio di me aveva detto la stessa cosa, temperando con una assonanza forse ironica il sentimentalismo della frase: "Come la vita è lenta e come la speranza è violenta." Sì, la mia vita era lenta, troppo lenta per la mia impazienza di vivere; e la mia speranza era violenta, troppo violenta per la mia capacità di attesa. Ma, alla fine, quante storie per due donne, sia pure madre e figlia, sia pure complici, sia pure rivali!

CAPITOLO SESTO

LA SOMIGLIANZA

Dopo quel primo incontro a Villa Balestra, il mio rapporto con Jeanne e Alda ha preso inaspettatamente un andamento uniforme e poco intimo come tra villeggianti che soggiornano insieme in una località balneare e, senza darsi appuntamento, si ritrovano ogni giorno nello stesso caffè per scambiare sempre le stesse chiacchiere.

Andavo a Villa Balestra con i giornali francesi o magari un libro, nelle prime ore del pomeriggio, quando faceva ancora caldo e la Villa era deserta. Sedevo solo al bar o su un banco, leggevo oppure guardavo senza pensar nulla ai pini, ai cipressi, alle nuvole, al cielo; alla fine, arrivavano Jeanne e Alda o almeno una delle due. Parlavamo, anzi, come ho detto, chiacchieravamo, allegri e rilassati; e così, come d'incanto, veniva la sera. Provavo il piacere blando e un po' noioso che ispira una compagnia affettuosa, priva di sottintesi sentimentali: Jeanne continuava a non attirarmi in senso fisico; Alda e io facevamo in modo di non oltrepassare i limiti di una scherzosa ambiguità. Tutt'al più, Alda cercava di essere fedele alla sua stravagante promessa di aiutarmi a sedurre la madre e procurava di lasciarci soli il più spesso possibile, allontanandosi da noi con un pretesto o con un altro. Alla fine tornava e coglieva il momento in cui Jeanne non ci sentiva per chiedermi sottovoce: "Allora che cosa avete fatto? L'hai toccata?" Non si capiva troppo bene che cosa intendesse per "toccare"; evidentemente una prova inconfutabile del fatto che Jeanne, secondo le sue stesse parole, "non pensava ad altro". Alzavo le spalle, rispondevo che non l'avevo "toccata" e non ero stato "toccato". La mia risposta doveva certo deluderla; ma non insisteva; cambiava discorso oppure correva via. In realtà, mi pareva di provare per Jeanne un sentimento tra affettuoso e rispettoso, in fondo quasi filiale; e consideravo quella specie di complotto a scopo di seduzione, che Alda mi aveva imposto, nient'altro e niente di più che un gioco infantile e privo di conseguenze.

Qualche volta mi avveniva di pensare che questa era la vita di famiglia di cui mio padre parlava con tanta nostalgia e a cui Alda aspirava con tanta ostinazione: stare insieme, non dirsi mai nulla di importante, comunicare un po' alla maniera degli animali, con gli occhi, con gli atteggiamenti, col tono della voce. Certo, stavamo in un giardino pubblico, sotto gli occhi dei frequentatori di Villa Balestra. Ma mi dicevo che anche tra le quattro mura di una casa, il rapporto tra noi non sarebbe stato diverso. Alla fine non mi dispiaceva di pensare che dopo un inizio imprudente e precipitoso, la mia vita a Roma si stava definitivamente assestando.

Ma mi sbagliavo. Uno di quei pomeriggi che Alda, al solito, ci aveva lasciati soli, Jeanne ed io abbiamo preso, ancora una volta, a parlare di Apollinaire e della mia convinzione che Apollinaire aveva già scritto le poesie che avrei voluto scrivere io. Non ricordo a quale proposito, ha ripreso la sua affettuosa polemica contro questa mia identificazione col poeta di *Alcools*: "È soltanto la tua immaturità che ti fa pensare una cosa simile. Vuol dire che sei ancora un ragazzo, un adolescente. Un giorno ti libererai di questa fissazione e ti accorgerai che sei molto diverso da Apollinaire e allora, se sei davvero un poeta, scriverai le tue poesie, soltanto tue e di nessun altro."

Mi piaceva ascoltarla, soprattutto quando, devo confessarlo, parlava di me. Ho risposto le solite cose: che mi identificavo con Apollinaire non soltanto per quello che diceva e come lo diceva, ma anche per il fatto di non avere conosciuto suo padre e, soprattutto, per la sua disponibilità.

Ha risposto prontamente, come chi aspetta da molto tempo un'occasione: "Non sei poi così disponibile come credi di essere. Per esempio, sei fedele alla misteriosa persona che affermi di avere a Parigi."

Non so cosa mi è successo. Forse tutti quei pomeriggi passati a parlare di cose insignificanti, quella pseudovita di famiglia in villeggiatura aveva addormentato i miei riflessi di difesa. Ho esclamato: "Non è vero che sono fedele, e infatti ecco la prova."

E prima ancora che lei potesse impedirmelo e io stesso trattenermi in tempo, ho teso la mano e gliel'ho posata sul seno.

Non ho tentato di baciarla, che sarebbe stata la cosa più naturale, sia perché non avrei potuto farlo senza essere osservato dai frequentatori della Villa, sia, soprattutto perché era stato con una carezza al seno, anche se involontaria, che, in aereo, era cominciato il nostro rapporto. La mano è stata per un momento immobile, con la palma aderente al seno e le dita distese; quindi le dita si sono piegate a stringere attraverso il tenue tessuto della camicetta, la mammella gonfia e sfuggente. Intanto, la guardavo negli occhi, quasi cercandovi la giustificazione di un turbamento che dal canto mio non riuscivo tuttora a provare. Non ha detto nulla, non mi ha respinto: è rimasta ferma, molto dritta, con gli occhi fissi nei miei; ma ho sentito il seno palpitare sotto le mie dita come suo malgrado e ho visto le sue labbra sinuose e sottili disserrarsi e restare semiaperte, tremando come per una sensazione troppo forte.

Poi ha detto con voce languente: "Basta," e *ho ritirato* prontamente la mano. Ha soggiunto in fretta, come per riprendere la conversazione interrotta: "Stavamo parlando di Apollinaire. Dimmi qualche suo verso."

"Qualche verso che piace a me o che dovrebbe piacere a te?"

"A me."

"Ecco: 'Sì, voglio amarvi, ma amarvi appena / e il mio male è delizioso'."

"E adesso dimmi qualche verso che piace a te."

"'E tu bevi questo alcool bruciante / come la tua vita / La tua vita che bevi come un'acquavite'."

Ha detto, cercando di riprendere il tono ozioso da conversazione di villeggiatura: "Sono versi che si attagliano a tutti o quasi i ragazzi della tua età. Ma li avevi già detti nell'aereo. Non ricordi?"

"Allora questi non sono versi per ragazzi: 'Nulla è morto se non ciò che non esiste ancora. / Rispetto al passato lucente / Il domani è incolore. / È informe pure di fronte a ciò che è perfetto. / E presenta insieme lo sforzo e l'effetto'."

"Troppo filosofico!"

"Forse preferisci questo: 'Aprite la vostra porta alla quale busso piangendo'."

"Troppo sentimentale."

"Allora non mi resta che dirti questi cinque versi: 'Conosco gente di ogni sorta / Non eguagliano il loro destino / Indecisi come foglie morte / I loro occhi sono fuochi semispenti / Il loro cuore si muove come la loro porta'."

"Cattivo, ah, è così? Io per te sarei indecisa come le foglie morte, con occhi simili a fuochi mezzo spenti, e, peggio di tutto, il mio cuore si muoverebbe come la mia porta?"

"Sì, ma è una porta alla quale ho bussato piangendo."

"Sei molto pronto e abile." È stata un momento zitta guardandomi: "In tutti i casi, è strano ma si direbbe veramente che le poesie di Apollinaire, avresti potuto scriverle tu. Mentre le recitavi i tuoi occhi brillavano in una maniera strana."

"Come: strana?"

"Di solito sono tristi. Mentre recitavi le poesie, hanno cessato di esserlo. Sono diventati vivi, scintillanti." È stata zitta un momento: "Belli."

Ho abbassato gli occhi, imbarazzato; mi faceva piacere di essere lodato, ma non reggevo la lode. Ho sentito la sua mano posarsi sulla mia guancia in una leggera carezza: "Ad ogni modo se un giorno, come spero, verrai a cena da noi, starò attenta a chiudere bene tutte le porte."

Chissà perché ho risposto un po' sgarbatamente: "Non c'è pericolo che tu sia costretta a prendere queste precauzioni."

"Perché?"

Mi sono accorto ad un tratto che la mia sgarberia, sia pure inconsciamente, era calcolata: senza rendermene conto, mettevo in atto il complotto di seduzione che Alda mi aveva imposto: "Perché le hai già prese. Ci vediamo tutti i giorni da quasi un mese, e non ho ancora messo piede in casa vostra."

"Hai ragione, ma potevi dirmelo un po' meno brutalmente, no? Bussare alla porta, va bene; piangendo, va bene; ma non prenderla a calci."

"Perdonami."

"Ad ogni modo, la porta di casa, almeno quella, ti è aperta. Vieni a cena da noi: oggi è giovedì, noi andiamo al mare per il weekend, vieni lunedì o martedì."

"Facciamo mercoledì," ho detto cercando quasi d'istinto di allontanare il giorno dell'invito.

"Perché mercoledì?"

Ho mentito: "Devo stare con mio padre, andiamo in casa di suoi amici."

"Va bene mercoledì, allora. Dimmi un ultimo verso di Apollinaire, adesso, che riguardi questo invito."

Così giocava con la poesia, appunto un gioco da insegnante di lettere; ma era un gioco che mi piaceva proprio per il suo carattere desueto e provinciale. Ho riflettuto un momento; poi ho recitato: "'Passavo lungo la Senna / Un vecchio libro sotto il braccio / Il fiume è come la mia pena / Scorre e non si ferma mai / Ma quando finirà la settimana?'"

Ha esclamato allegramente: "Il Tevere non è la Senna. La tua pena è proprio come l'acqua del Tevere, scarsa. E non manca una settimana a mercoledì, ma soltanto cinque giorni."

A questo punto una voce a me ormai ben nota, quella insieme rude e infantile di Alda, ha esclamato alle nostre spalle: "Mercoledì, che cosa succede mercoledì?"

"Mercoledì," ha risposto con calma Jeanne, "Mariò viene a cena da noi."

"Ah bene, era tempo, ti sei decisa finalmente. Tu, però, Mario, ricordati di essere ben educato e di non presentarti a mani vuote, porta una bottiglia di champagne, è il dono che preferiamo."

"Che tu preferisci," ha detto Jeanne seccamente, "le basta un bicchiere per ubriacarsi."

"Tu non puoi renderti conto dell'importanza di questo invito, Mario," ha detto Alda, saltellando intorno al banco: "La nostra casa, in certo modo, è sacra. Invitandoti, Jeanne è come un prete che fa entrare qualcuno in una cappella che di solito è proibita agli estranei."

"Alda, non dire sciocchezze."

"Ma è vero, Jeanne, è proprio così: tu sei un prete e la nostra casa è una cappella."

"Mariò, ci vediamo domani qui, a Villa Balestra, e mercoledì sera. Alda, vieni con me a casa, su, devi aiutarmi."

"Aiutarti a fare che cosa?"

"A mettere via la roba invernale che altrimenti ci vanno le tarme."

Alda invece di ubbidire, è venuta direttamente a sedersi accanto a me: "Fallo tu, io rimango qui con Mario."

Le due donne si sono guardate l'un l'altra; Alda con aria di sfida, Jeanne con perplessità: "Va bene," ha risposto Jeanne, alla fine, in tono scontento: "Farò da me." E senza indugio si è allontanata.

Ho chiesto subito ad Alda: "Scusami, ma perché hai detto a tua madre che la vostra casa è sacra come una cappella, che lei è il prete di questa cappella, e così via? Aveva l'aria molto seccata."

"Lo credo, a nessuno piace sentirsi dire certe verità."

"Ma qual è la verità?"

"Quella che ho detto."

"E cioè?"

"La nostra casa è sacra come una cappella, o meglio è sacra una delle stanze."

"Quale stanza?"

"La loro camera da letto."

"Chi loro?"

"Di Jeanne e di mio padre."

Mi rivolgeva quel suo sguardo sonnolento e cupido che adesso sapevo somigliante a quello di mia madre; e questa somiglianza, ancora una volta mi colpiva e mi turbava: "Che c'è di strano? È giusto che questa camera sia sacra per lei, dopotutto. Tua madre ha amato tuo padre e lo rimpiange."

"Già, ma è giusto non dormirci e conservarla così come era il giorno della morte del papà, con la camicia di lei e il pigiama di lui, belli stesi sul letto? Riempirla di fiori ogni due, tre giorni? Passarci delle ore a farci chissà che cosa, seduta sulla sponda del letto?"

Ho detto con stupore sincero: "Non sapevo tutto questo. Si vede che l'amava molto."

"Lei invece dice che l'odiava e che l'odia ancora."

"Come fa a odiarlo, visto che lo rimpiange tanto?"

"Va' a sapere! Secondo lei, l'odiava perché lui la tradiva."

"È vero che la tradiva?"

"Non so se è vero. So soltanto che dice che lui la tradiva con tutte le donne che gli accadeva di incontrare."

"Ma è vero o non è vero?"

L'ho vista stringersi nelle spalle, con l'aria di chi non è del tutto convinto e comunque non gli interessa di mostrare di esserlo: "A sentire lei, sì. Ma chissà qual è la verità. In tutti i casi l'amore lo facevano: è questo che lei non riesce a dimenticare, non il tradimento. Ed è per questo e non per il tradimento che lei ha trasformato la camera da letto in una specie di cappella. L'odio si dimentica, alla fine, ma l'amore, no."

"Forse l'amava e l'odiava nello stesso tempo."

"Storie! L'amava e basta. L'odio non era che il bisogno di essere amata di più. Il papà non l'amava abbastanza o meglio non l'amava come lei avrebbe voluto essere amata: ecco tutto." È stata zitta un momento quindi ha ripreso: "Ad ogni modo puoi stare sicuro che la cappella ha i giorni contati. Sei ormai nelle sue grazie. Cosa credi che non vi ho visti?"

"Che cosa hai visto?"

"Ho visto che la toccavi. E che lei ti lasciava fare."

Così ci aveva spiati e ci aveva visti. Ma dopo le rivelazioni sulla passione postuma di Jeanne, non mi è dispiaciuto di ritrovarmi di nuovo nell'atmosfera come di gioco infantile e complice che fin dal principio aveva avvolto il nostro complotto. Ho ammesso quasi con sollievo: "Sì, come tu dici, l'ho toccata. Tu non facevi che chiedermi di farlo e alla fine l'ho fatto. Dovresti essere contenta, no?"

"È lei soprattutto che è contenta. Infatti ti ha subito invitato a cena. Purtroppo, fino a mercoledì, questo tuo toccamento non mi farà dormire."

"Ma che dici?"

"Dico che, fino a mercoledì, Jeanne non farà che parlarmi di te tutte le notti, fino all'alba."

"Ti dirà che l'ho toccata?"

"Mai più. Ma ci girerà intorno per ore e ore. Eh, la conosco bene." È stata zitta un momento, quindi ha ripreso: "Dobbiamo ricordarci la bottiglia di champagne. Andremo a comprarlo insieme. Le piace secco e di una certa marca."

"E che cosa credi che succederà?"

"Questo," e ha fatto il gesto delle due mani intrecciate, a significare la penetrazione sessuale. "Stai tranquillo, ti aiuterò, dovessi tenerla per le braccia."

Ho pensato che adesso l'innocente ignoranza delle cose del sesso che mi aveva tanto colpito durante il nostro primo incontro, continuava imperterrita ma nel senso opposto dell'ostentazione di un cinismo esperto che in realtà non esisteva. Ho detto con imbarazzo: "Via, via non parlare così, dopotutto è tua madre."

"Ma se non pensa ad altro!"

Il giorno dopo, come sono entrato la mattina nella stanza dell'agenzia in cui mio padre lavorava, l'ho trovato assorto nello studio di un'agenda di indirizzi. Con la sua abituale esagerazione di cattivo attore, teneva la testa bassa e, come per farmi capire che si trattava di qualche cosa di importante, non l'ha levata quando sono entrato. Sono rimasto in piedi, aspettando. Mio padre ha fatto sotto i miei occhi tutti i gesti di chi, avendo, alfine trovato, dopo lungo esame, l'indirizzo che cercava, se lo scrive a parte per averlo sotto mano: ha tirato una riga con la biro sotto l'indirizzo, poi l'ha trascritto su un biglietto e, soltanto allora, ha alzato gli occhi verso di me: "Ah, sei tu, finalmente sei venuto! Guarda che ho qualche cosa per te."

È stato un momento zitto, guardando il biglietto sul quale aveva scritto l'indirizzo, poi ha detto: "Si tratta di una signora che si chiama Jodice, Esmeralda Jodice. Vuole comprare o affittare un appartamento ai Parioli. Ora si dà il caso che a via Ammannati c'è un appartamento di mia proprietà che sono intenzionato a vendere o affittare: piuttosto vendere che affittare. È un attico, all'ultimo piano. Tu vai a via Ammannati, al numero 36, la signora Jodice si troverà di fronte al portone alle dodici, tu le fai vedere l'appartamento. Ecco le chiavi."

Ora, bisogna sapere che conoscevo benissimo via Ammannati, era la via che portava direttamente a Villa Balestra dove, come ho detto, mi recavo spesso a passeggiare e a leggere i giornali francesi. E il numero 36 era quello della palazzina dove abitavano Jeanne e Alda. Ho avuto come un trasalimento di sorpresa per la coincidenza e ho esclamato: "Conosco già la casa."

Mio padre ha sbarrato gli occhi come cercando di nascondere la propria sorpresa con un'esagerazione della sorpresa: "Come mai?"

"Ci abitano delle persone che conosco."

"Ah bene, bene."

"Ma come farò a riconoscere questa signora?"

"Dice che terrà una rosa in mano."

"Ma com'è?"

"È una bella donna sui quarant'anni, grande, anzi maestosa, un po' statua, con un portamento da diva. E infatti, in passato, è stata cantante di musica leggera. Non potrai sbagliarti."

Non ho detto nulla, ho intascato le chiavi e sono uscito. Era ancora presto, ho deciso di andare a Villa Balestra, forse avrei trovato Jeanne o Alda o tutte e due. Ma una volta arrivato alla villa ho visto che non c'erano. Mi sono seduto su un banco e ho tirato fuori dalla tasca dei blue jeans l'edizione pocket tutta gualcita e logora delle poesie di Apollinaire. Le portavo sempre con me e quando non avevo altro da fare le rileggevo per convincermi una volta di più che erano esattamente le poesie che avrei voluto scrivere io e che Apollinaire aveva scritto in vece mia e per me. Allora, ho letto, ad apertura di pagina, in una poesia intitolata: "Attraverso l'Europa," questo verso in italiano: "Una volta ho inteso dire: che vuoi?"; e sono sprofondato in una fantasticheria intensa e oscura, come di chi si concentra fortemente su qualche cosa ma al tempo stesso non sa precisamente che cos'è. La domanda di Apollinaire "che vuoi?", in qualche modo impaziente e come stufa, voleva dire chiaramente, almeno per me e nella mia situazione: "Ma si può sapere che vuoi: la madre o la figlia?" Alla domanda intesa in questo modo, non potevo non rispondere: "Naturalmente, la figlia."

Ma perché la figlia? Forse perché, come aveva scherzosamente insinuato Jeanne, mi piacevano le bambine? No, le bambine non mi erano mai piaciute; mi piaceva Alda e soltanto Alda. Ma perché proprio Alda? Quasi con paura ho ricordato che da qualche tempo non potevo guardare gli occhi di Alda senza rivedere immediatamente, a causa della somiglianza impressionante e incredibile dell'espressione, quelli di mia madre quando li aveva levati verso di me, pieni di desiderio ancora inappagato nel momento stesso che inforcava le ginocchia di Terenzi e l'aiutava a penetrarla. Sì, io "volevo" Alda, ma con quello stesso sguardo con il quale mia madre mi aveva guardato in quell'occasione così importante per lei e per me; e Alda a sua volta mi compiaceva docilmente e, si sarebbe detto, consapevolmente.

Sono rimasto per un poco attonito di fronte a questa semplice e diretta constatazione: una cosa è sospettare, un'altra essere sicuro: ora io ero sicuro ormai che da qualche tempo guardavo Alda soprattutto per carpire nei suoi occhi quello sguardo misteriosamente evocativo, allo stessissimo modo col quale un innamorato cerca negli occhi di altre donne l'espressione che appartiene invece alla donna che ama e soltanto a lei. Poi mi sono domandato se la somiglianza esisteva davvero, che sarebbe stata allora una mera coincidenza sia pure suggestiva; o se invece io ero ormai arrivato a quello stadio della ossessione per cui non potevo fare a meno di vedere mia madre in tutte le donne nelle quali mi imbattevo. Non sapevo quale delle due ipotesi mi sentivo di preferire; tutte e due presupponevano un sentimento incestuoso ma la seconda era più angosciosa perché riguardava soltanto me e lasciava così intravedere il volto inaccettabile della mania. Mi sono detto un po' pazzamente che il solo modo di controllare la fondatezza della seconda supposizione era di fare in modo che mio padre incontrasse Alda e poi di chiedergli se gli pareva che rassomigliasse a mia madre; due riconoscimenti invece di uno solo erano quasi la verità: se mio padre avesse confermato la somiglianza, questo avrebbe voluto dire che non ero un maniaco. Poi, in un secondo momento, ho scoperto un altro modo migliore anzi infallibile: conservavo nel portafoglio una fotografia di mia madre: sarebbe bastato allora, confrontare gli occhi di mia madre nella fotografia con quelli di Alda e ogni dubbio circa la somiglianza sarebbe certamente cessato. Mi sono domandato come mai non ci avessi pensato prima; e ho dovuto riconoscere ancora una volta, in questa sorprendente dimenticanza, lo stesso genere di rimozione che per quindici anni mi aveva impedito di pensare seriamente a mia madre e al mio rapporto con lei.

Ho tirato fuori il portafoglio dalla tasca dei blue jeans e da questo la fotografia. Era una fotografia che aveva tutta una sua storia. Stava nella camera da letto di mio zio, incorniciata d'argento, sul cassettone. Gliel'avevo chiesta alcuni anni fa e lui me l'aveva data. Ma la fotografia era troppo grande per il portafoglio; mia madre era stata ripresa a mezzo busto: ho tagliato la parte inferiore della fotografia e non ho tenuto che la testa. Per alcuni anni, poi, ogni volta che buttavo via il portafoglio vecchio e trasportavo nel nuovo il contenuto del vecchio mi fermavo a contemplare per un momento il volto di mia madre; quindi chiudevo la fotografia in uno scompartimento particolare e non ci pensavo più.

Adesso la fotografia era tra le mie mani; tutta striata e consunta, faceva pensare alla superficie marmorizzata di certi quaderni di scuola. Ma per una combinazione casuale, tra tutte quelle rigature e sdruciture, si erano salvati, interi e vivi, gli occhi. Non ricordavo affatto in quale atteggiamento mia madre era stata ripresa; si sarebbe detto che in quel momento stesse soffiando un forte vento, perché una ciocca di capelli, come scomposta dalla ventata, le attraversava in diagonale il viso. Ma gli occhi, come ho detto, erano perfettamente visibili; e avevano lo stesso sguardo indimenticabile che mi aveva rivolto durante l'amplesso con Terenzi. Ho guardato con attenzione la fotografia, ho constatato con sollievo che la somiglianza c'era ed era non già vaga ma reale e così non ero un maniaco bensì soltanto un osservatore attento. Ma mi sono accorto nello stesso tempo che tra il mio sentimento per Alda e quello per mia madre riguardo alla somiglianza sussisteva una differenza sottile: per mia madre nutrivo una passione in qualche modo vendicativa come per una donna che si ama e che ci ha tradito; invece provavo per Alda il misterioso, straziante affetto che avrebbe potuto suscitare in me l'incontro impossibile ma immaginabile con mia madre ancora bambina.

Intrigato e senza concludere niente, stavo per rimettere la fotografia nel portafoglio, quando ho sentito la voce di Alda, sopravvenuta alle mie spalle, esclamare: "Bravo, ti ho sorpreso, di chi è questa fotografia? Scommetto di una tua ragazza di Parigi."

"No, di mia madre."

"Ah, tua madre, ti somiglia. Avete lo stesso naso all'insù."

"Somiglia anche ad un'altra persona."

"A chi?"

"A te."

È venuta a sedere sul banco vicino a me, ha preso con malagrazia la fotografia e l'ha guardata: "Non vedo nessuna somiglianza."

"Ma come, è la prima cosa che viene in mente: avete gli stessi occhi."

"Ma no, non è vero! Tua madre, almeno in questa fotografia, ha uno sguardo, come dire? vivo, intenso. I miei occhi, tutti me lo dicono, hanno semmai uno sguardo indiretto, incerto, perché sono miope."

Ha scosso la testa, mi ha restituito in fretta la fotografia. Poi ha ripreso con improvvisa vivacità: "Devo darti una grande notizia."

"Quale?"

"Lo sai che cosa mi ha detto Jeanne stanotte, dopo

un'ora o due che parlavamo di te: 'Che ne diresti se invitassimo Mario a venire ad abitare da noi? Lui è venuto a Roma per conoscere suo padre, non gli è simpatico e adesso si trova in una situazione imbarazzante: vorrebbe restare a Roma ma, capisce che non può vivere con un uomo che per lui è un completo estraneo. Perché non potremmo ospitarlo noi?' Capisci? Lei vuole invitarti a venire a stare a casa nostra, che ne dici?"

Ho rimesso la fotografia nel portafoglio e il portafoglio in tasca, cercando di essere il più lento possibile. Intanto riflettevo e capivo soltanto che non capivo ancora nulla e che dovevo prendere tempo: "Prima di tutto, voglio sapere che ne dici tu?"

"Io dico che sarebbe magnifico."

"Magnifico?"

"Pensa Mario; tu, Jeanne ed io come saremo felici insieme! Lo so che cosa pensi: che sei troppo giovane per farmi da papà. Ma non è così, quello che conta non è l'età, ma il fatto di essere un uomo; saresti l'uomo della famiglia."

"Bellissimo programma, ma c'è un solo inconveniente."

"Ma quale?"

"Che io non provo nulla di particolare per Jeanne. E che lei, invece, pensa che lo provi."

Si è improvvisamente accalorata, quasi con rabbia: "Ecco, mi avevi promesso, ti avevo fatto giurare e adesso ti tiri indietro."

"Non mi tiro indietro. Ma la verità è la verità: non provo per lei neppure questo," e ho fatto scattare l'unghia del pollice contro l'orlo dei miei denti. "Come potrei vivere con lei?"

"Che importa! L'importante è che abiterai in casa nostra."

"Senza far l'amore?"

"Magari anche senza farlo, purché Jeanne sia contenta e non mi tenga sveglia a parlare tutta la notte." Ha riflettuto un momento, quindi ha ripreso con rinnovata energia: "Non pensarci, vieni a stare da noi, ci starai benissimo, vedrai. Piuttosto bisogna fare un piano."

"Ma quale piano?"

"Quando ti invita, tu devi accettare soltanto a condizione che ti faccia dormire nella cappella."

"Cioè la camera da letto in cui dormiva con tuo padre?"

"Eh già. Altrimenti non serve a nulla che tu venga. Io, questa condizione gliel'ho già posta per conto mio."

"E lei cosa ha detto?"

"Ha detto prima di no, poi di sì, poi di no. Insomma, come sempre, non sa quello che vuole."

"Ma lei dove dormirebbe?"

"Dove dorme ora. Lei invece vorrebbe venire a dormire da me, mettere te nella sua camera e lasciare la cappella così com'è. E invece no. Dobbiamo convincerla a buttare via tutta quella robaccia e dare la camera a te. Se no, saremo sempre da capo."

"Ma quale robaccia?"

"La roba di mio padre. Non ti ho forse detto che per Jeanne quella camera è sacra?"

"E allora?"

"E allora, come fai a non capirlo? Se accetta che tu ci dorma, poi non sarebbe più sacra."

Ho provato non sapevo quale ripugnanza improvvisa; ho esclamato d'istinto: "Io non verrò da voi e non resterò con mio padre: tornerò a Parigi."

Inopinatamente, ha detto: "Se te ne vai a Parigi, verrò via con te."

"Ma sei matta."

Mi ha preso la mano e si è messa a parlare in fretta: "Non ne posso più di vivere con Jeanne che ora vuole un uomo e ora non lo vuole; ora vuole restare fedele alla memoria di mio padre e ora non lo vuole. Verrò a Parigi con te, lavorerò, sono piccola, ho quattordici anni, ma ne dimostro anche diciotto. Potrei fare l'interprete; so l'italiano, il francese, e mi sto perfezionando in inglese."

Ho tentato di liberare la mano, ma non ci sono riuscito: "Giurami che se torni a Parigi, mi porti via con te."

"Non giuro niente."

"Giurami che andremo insieme a Parigi."

Mi stringeva la mano con forza maliziosa e proterva: "Niente giuramenti e lasciami la mano."

Ha avuto un'espressione di tale infelicità che mi sono corretto: "Diciamo che una volta a Parigi, la prima cosa alla quale penserò è di trovare il modo di farti venire."

"Mi troveresti un lavoro?"

"Lavoro, non so, ma potresti stare per qualche tempo da mio zio, ha una casa molto grande."

Ha portato la mia mano alle labbra, l'ha baciata con fervore. Ho tirato via la mano: "Adesso devo lasciarti. Debbo andare qui accanto proprio nella palazzina in cui abitate voi. Mio padre mi ha chiesto di mostrare un attico a una sua cliente."

"Scommetto che è l'appartamento di fronte al nostro."

"Come fai a saperlo?"

"È il solo libero. È disabitato da non so quanto tempo. Da ultimo ci hanno fatto dei lavori." Ha soggiunto dopo un momento: "Vengo su con te."

Chissà perché mi è venuto fatto di dissuaderla, ma ho pensato che non avevo nessuna ragione plausibile da fornirle, e ci ho rinunziato. In silenzio, ci siamo diretti, attraverso il prato, verso l'uscita.

CAPITOLO SETTIMO

L'ELICOTTERO

Ecco il portale, l'abbiamo varcato; ecco via Ammannati, in discesa, tra due file di palazzine, con le macchine parcheggiate lungo i marciapiedi, gli oleandri fioriti, le cancellate folte di rampicanti. Ecco, sulla sinistra la palazzina in cui abitavano Jeanne e Alda, bianca e disadorna, con tante terrazze dalle quali pendevano festoni di gerani.

Ho visto subito, di fronte al portone, una persona che rispondeva abbastanza bene alla descrizione della cliente fatta da mio padre: una donna alta e grande che indossava una specie di camicione o tunica dritta e molto larga, di colore beige. Ma non aveva una rosa in mano come segno di riconoscimento; reggeva invece una scatola col coperchio alzato da cui in quel momento stava prendendo qualche cosa, forse un dolce, e dopo averlo guardato con compiacimento, lo portava alla bocca.

Alda l'ha riconosciuta per me: "Ecco la tua cliente," e poi con voce più bassa: "Presentami."

"Ma perché?"

"Perché salgo su con voi. Presentami come una tua parente."

"Ah questo, poi, no."

La cliente ci è venuta incontro con passo lento e in qualche modo maestoso, proprio come l'aveva descritta mio padre. Ho notato che sotto il camicione chiaro spuntavano due stivali neri, insoliti nella stagione di tarda primavera. Teneva la scatola dei dolci tuttora aperta e, come si è trovata di fronte a noi, ha detto: "Lei è Mario, no? Io sono Esmeralda Jodice e lei dovrebbe farmi visitare l'attico. Ma lo sa che sono già dieci minuti che aspetto?"

Mi sono affrettato a scusarmi. Ha scosso la testa: "Come non detto, come non detto;" e poi, offrendomi la scatola: "Ne vuole uno?"

Ho visto allora che cosa conteneva la scatola: tanti cubetti gialli velati di zucchero bianco del dolce orientale chiamati lukumo. "Avrei dovuto presentarmi con una rosa in mano, ma ho visto questi in una vetrina accanto al fioraio e non ho resistito. Via, ne prenda uno;" e senza aspettare la mia risposta mi ha ficcato direttamente un lukumo in bocca. Ho indicato Alda, togliendomi provvisoriamente il cubetto dalla bocca: "Questa è Alda."

"Carina, vuole un lukumo anche lei?"

La signora Jodice ha fatto per ficcare un cubetto in bocca anche a Alda. Ma Alda ha respinto con durezza la mano: "Non mi piacciono i dolci."

"Oh, che sgarbata," ha detto la signora Jodice per nulla sconcertata, "allora andiamo a vedere l'attico del papà!" Non pareva interessata ad Alda, ma guardava invece me con una curiosità scoperta anzi sfacciata. Allora l'ho guardata a mia volta.

Aveva un volto come allargato dalla maturità nel quale tuttavia si potevano riconoscere i lineamenti di una bellezza non ancora del tutto sfiorita. Tra due ampie onde di capelli bruni, il viso si affacciava con fronte tonda, occhi grandi e scuri, naso minuscolo e bocca larga e sensuale. Era un viso, a ben guardare, infantile; ma l'aspetto che colpiva di più, a prima vista, era quello della maturità: gli occhi naufragavano in un vortice di rughe sottili e concentriche; il naso aveva una increspatura come di ira; una decisa peluria ombreggiava il rossore delle labbra. Eppure mi è sembrato che questa maturità avesse qualche cosa di attraente proprio perché non pareva dissimulata, si dava per quello che era. Un paragone mi è balenato nella mente: quel viso faceva pensare ad un fuoco non ancora spento il quale lasci tralucere sotto le ceneri il rosso intenso di una fiamma superstite.

Si è sentita scrutare, ha detto con crudezza: "Allora l'esame è finito? Su, monsù Mario, ci siamo guardati abbastanza l'un l'altro. Andiamo a guardare l'attico."

Ho sentito di arrossire, l'ho seguita che precedeva me e Alda, grande e ieratica, verso l'ascensore. Vlan, vlan, vlan, ad ogni passo le forme massicce delle natiche si stampavano oblunghe nella tunica. Nell'ascensore ci siamo disposti in questo modo: Alda da una parte, la signora Jodice dall'altra e io nel mezzo. Allora, mentre l'ascensore saliva, ho guardato alle due donne e ho avuto una sensazione bizzarra: Alda e la signora Jodice erano in fondo la stessa persona ma a due età diverse, a tredici e a quarant'anni. Oppure, se si preferisce, la signora Jodice, dal viso così allargato e dalla persona così deformata dalla maturità era un'ingrandimento di Alda, allo stesso modo che Alda lunga e stretta era una riduzione della signora Jodice. Ma soprattutto mi ha colpito la straordinaria somiglianza degli occhi delle due donne: grandi e scuri con lo stesso sguardo nel quale parevano mischiarsi concupiscenza e torpore, espressione in realtà provocata dall'abbassamento costante della palpebra fino a metà della pupilla. Era, questa, una particolarità rara, che non ricordavo di avere mai prima osservato in altre persone; e questa rarità che le accomunava confermava, in maniera conturbante, la somiglianza.

L'ascensore aveva appena sorpassato il primo piano che la signora Jodice ha fatto uno sforzo per essere amabile con Alda: "Lei abita in questa casa?"

"Sì."

"E vi trovate bene?"

"Sì, anche perché c'è Villa Balestra qui accanto."

"Ah, già, è vero, avete un giardino a portata di mano."

Così ho colto una nuova somiglianza: quella delle voci. Rude e aspra quella di Alda, rude e rauca quella della signora Jodice. Ma curiosamente la differenza tra il tono aspro e il tono rauco pareva confermare che era pur sempre la stessa voce a due diverse età.

L'ascensore si è fermato, le porte si sono aperte, Alda ha detto impaziente: "Arrivederci signora, ciao Mario" e con un solo passo si è trovata di fronte alla propria porta. Aveva la chiave già in mano, ha aperto, è scomparsa.

"Ma si può sapere che cosa aveva quella ragazzina?" ha chiesto la signora Jodice uscendo a sua volta dall'ascensore con l'aria piuttosto di commentare che di interrogare. E poi: "Lo sa, Monsù Mario, che io conosco suo padre e che lei, fisicamente, non gli somiglia proprio per nulla?" Mi sono chiesto perché insistesse a darmi del "Monsù" per giunta con ironia. Ho detto, secco: "Somiglio a mia madre."

Ho cavato di tasca la chiave, ho fatto per aprire. Allora ho letto sulla targa, con sorpresa: "Dina Diotallevi" che era il nome di mia madre. Con la rapidità della fiamma di un corto circuito che corra lungo un filo elettrico, si sono seguite nella mia mente le domande suscitate dal nome della targa. Perché il nome di mia madre? Forse perché mio padre aveva comprato l'attico dopo la separazione, sperando di persuadere mia madre a lasciare Parigi, tornare a Roma, ed abitarci da sola, per conto suo? E se questo era vero, perché, dopo l'intuibile rifiuto di mia madre, lui aveva conservato l'appartamento vuoto e pronto tutti quegli anni? E perché adesso, tutto ad un tratto, voleva invece disfarsene?

La signora Jodice ha chiesto: "Chi è Dina Diotallevi?" Ho detto: "Era il nome di mia madre;" e mi sono fatto da parte per lasciarla entrare. Eccoci nell'anticamera. Il pavimento a losanghe rosse e nere tirate al lucido, le due porte bianche, verniciate di fresco, specchianti, i pannelli avorio, immacolati, delle pareti, tutto qui faceva pensare ad un restauro recente. Anche la signora Jodice è stata colpita da questo aspetto nuovo fiammante: "Ma che bello!" ha esclamato, girandosi intorno con la scatola di lukumi tuttora aperta sulla palma della mano, "tutto è nuovo qui, si sente un buon odore di vernice, viene quasi voglia di venirci ad abitare subito."

Allora è successo qualche cosa che per la sua complicazione mi ha fatto pensare a certe scene di film mostrate al rallentatore: Esmeralda (d'ora in poi la chiamerò così) ha fatto per aprire una delle due porte che davano nell'anticamera, con la stessa mano che reggeva sulla palma la scatola di lukumi; ho visto subito che non avrebbe potuto farlo senza rovesciare la scatola e mi sono precipitato per afferrare la maniglia; ma le nostre due mani si sono scontrate e la scatola che avevo l'intenzione di salvare, è cascata in terra, spargendo i lukumi sul pavimento.

Esmeralda ha esclamato: "Oh, i miei poveri lukumi! Sia gentile, Mario, li raccolga. Tutto qui è così pulito e poi sarebbe un peccato buttarli via."

Forse ho avuto un momento di esitazione. Inaspettatamente, si è spazientita: "Che hai da guardarmi?" ha esclamato battendo il piede in terra, "mica vorrai che li raccolga io."

Sono stato colpito dalla rudezza di quel "tu" improvviso che pareva sottintendere non so quale premeditazione. Ho detto stupito: "Mi scusi," e mi sono buttato carponi, ho preso la scatola, ho cominciato a metterci dentro i lukumi. Ma i cubetti gialli erano sparsi un po' dappertutto ed Esmeralda ha preso a indicare i più lontani con il piede. Allora sono stato colpito di nuovo dal fatto che portava ai piedi stivali invernali di cuoio nero. Chissà perché, ho osservato senza alzare la testa: "Ma si può sapere perché porta stivali con questo caldo?"

Subito, come se fosse stata pronta e preparata in anticipo, mi è piovuta dall'alto la risposta: "Che curioso! Visto che vuoi proprio saperlo, ecco: sono stivali molto leggeri, estivi, e li porto per nascondere una voglia che ho sulla gamba. Niente di brutto, però, una macchia appena più scura." E dopo un istante di silenzio: "Vuoi vederla? Adesso mi tiro su la veste e te la mostro."

Che offerta assurda! Mostrare la voglia sulla gamba a qualcuno che non si conosce e che, per giunta, sta adoperandosi per raccogliere in terra qualche cosa! Eppure c'era nella voce di Esmeralda un'autorità così perentoria che la proposta mi è sembrata del tutto naturale. Ho visto la tunica risalire oscillante, su su, al di sopra dello stivale scoprendo la parte superiore della voglia, appena più bruna del resto della gamba, di un colore simile a quello di un'abbronzatura estiva. La gamba grossa e muscolosa si è alzata leggermente, girandosi di qua e di là, come pavoneggiandosi: "Cosa te ne pare, è proprio così brutta?"

"No, non è brutta affatto."

"Ma adesso basta, che hai da guardare?"

"Non guardo niente."

"Storie, tu guardi e chissà cosa pensi? Dai, mettici un bacio sulla voglia, un bacetto, tanto per darmi l'impressione che non ti fa schifo."

Era un ordine o una preghiera? Era qualche cosa che teneva dell'uno e dell'altro. Ma ancora una volta mi sono accorto che una misteriosa autorità rendeva naturale e spontanea la mia ubbidienza. Mi sono piegato in avanti, appoggiandomi con le mani sul pavimento, ho teso le labbra, ho deposto il bacio. Subito, lassù, sopra la mia testa, la voce di Esmeralda ha commentato: "Bravo, bravo, ti sei deciso finalmente. E adesso un altro bacio più su."

La tunica, simile ad un traballante sipario, ha ripreso a oscillare e a risalire rivelando lo spettacolo delle due gambe torreggianti e strettamente unite. Ed io, inspiegabilmente, ho preso a seguirne l'ascesa seminando di baci prima le ginocchia e poi le cosce. Non portava calze; sotto le labbra ho avvertito il contatto pungente della pelle non perfettamente depilata. Intanto la voce, senza più alcuna civetteria, incalzava esigente e rude: "Più su, più su."

A ciascuno di questi "più su", io ubbidivo e intanto, nella mia mente, echeggiava la domanda: "Perché lo faccio? Perché lei crede di aver il diritto di farmelo fare?"; finché all'ultimo "più su", ho avuto uno scatto rabbioso verso l'alto, come di cane incitato dal padrone; e ho morso il pube riempiendomi la bocca di pelo duro e brulicante. Lei mi ha mantenuto un momento la faccia tuffata nel grembo, premendomi con la mano sulla nuca; quindi mi ha respinto: "Sei proprio affamato; non la finiresti mai; adesso, su, da bravo, mostrami l'appartamento." E dopo un momento: "I lukumi, però, devi raccoglierli lo stesso."

"Potrei spingerli in un angolo."

"No, mettili nella scatola e li prenderò nella mia borsa. Che direbbe tuo padre se trova la sua casa piena di lukumi?"

Ho eseguito più in fretta che potevo, poi mi sono alzato, trafelato. Lei mi ha teso, aperta, l'enorme borsa che portava al braccio e io ci ho rovesciato dentro alla rinfusa scatola e lukumi. Ha sorvegliato l'operazione e ha commentato: "Ma lo sai che mi hai fatto male? Mordi sempre così le donne?"

Non ho detto nulla. Ho cercato di ritrovare il tono professionale: "Ad ogni modo, quest'è l'anticamera."

"Ad ogni modo! Lo vedo che è l'anticamera. Su, vieni, andiamo avanti."

Ha aperto la porta, l'ho seguita. Qualche cosa di pungente, mi dava fastidio in bocca, ho sputato con rabbia. Poi ho annunziato: "Questo è il soggiorno."

"Il soggiorno? Molto bello, proprio quello che cercavo, così lungo e stretto, sembra una serra, con queste vetrate su tutta una parete: ci metterò delle piante, tante piante!" E poi voltandosi appena verso di me: "Perché sei così arrabbiato? Hai sputato quel mio povero pelo con vero odio. Via, non essere arrabbiato, hai fatto una cosa molto bella, ecco tutto. Ed ora per mostrarmi che non sei pentito, dammi un bacio."

Ho teso meccanicamente le labbra; lei si è tolta dalla bocca il lukumo che stava succhiando e me l'ha offerta a guisa di corolla carnosa, dal centro della quale, simile a un solo, aguzzo pistillo, la lingua ha dardeggiato un istante durante il bacio. Poi si è staccata da me, e tirandosi indietro come per meglio guardarmi, si è compiaciuta: "Lo sai che sei un bel ragazzo? Ma chi l'avrebbe mai detto, così timido, così per bene! Quanti anni hai?"

"Venti."

"Lo sai che potresti benissimo essere mio figlio?"

Non ho detto nulla. Era la frase precisa che mi aspettavo da una donna come lei, insieme matura e curiosamente fiera di esserlo. Ha insistito: "Ti piacerebbe avere una madre come me? E per giunta una madre che ti facesse fare l'amore, il sogno di tutti voi altri figli maschi?"

Ho pensato con lucidità che, senza rendersene conto, con questa vanteria di maternità incestuosa lei rispondeva alla mia domanda: "Perché lo faccio?" Sì, la risposta era proprio questa: "Lo sai che potresti essere suo figlio?" Ho fatto questa constatazione con la calma stupita delle scoperte insieme ovvie e importanti. E ne è seguita subito una conseguenza logica: se era vero, come pareva essere vero, che Esmeralda aveva gli stessi occhi di Alda e Alda aveva gli stessi occhi di mia madre, allora ne seguiva che quest'ultima e Esmeralda a loro volta si somigliavano e che la somiglianza avrebbe potuto forse spiegare la misteriosa autorità di Esmeralda su di me, come la altrettanto misteriosa mia attrazione per Esmeralda.

Ma non ho voluto accettare un'ipotesi che pareva avere un carattere chiaramente ossessivo; subito dopo averla formulata, ho cercato di distruggerne la verosomiglianza: "Va da sé che sono vittima di una specie di allucinazione che mi fa vedere mia madre in quasi tutte le donne in cui mi imbatto." Dove quel "quasi" premesso a "tutte", stava a indicare l'eccezione significativa di Jeanne che non rassomigliava affatto a mia madre e che, di conseguenza, non mi ispirava alcun desiderio né aveva alcuna autorità su di me.

Ho pensato queste cose guardando trasognato al pavimento di strette assi di legno chiaro lucidato a cera. Queste assi fuggivano fino alla lontana portafinestra, all'altra estremità del soggiorno; sopra di esse, come in una sovrapposizione di film, visibili eppure trasparenti, mi pareva di scorgere gli occhi dall'espressione così insolita, insieme sonnolenta e bramosa, che accomunavano Alda, mia madre ed Esmeralda ma non Jeanne. Ho detto in tono neutro: "Sì, è proprio bello. Sembra una palestra, non le pare?"

"Non le pare! Che tipo sei! Prima mi salti addosso, poi ripensi all'agenzia di tuo padre e mi dai persino del lei. Ma dammi del tu e smettila!"

"Scusami. Non sapevo che l'appartamento fosse così nuovo."

"E io invece lo sapevo. Il tuo papà me l'aveva detto: posso consegnarglielo anche domani, chiavi in mano."

Adesso mi domandavo di nuovo perché mio padre avesse fatto restaurare l'appartamento e volesse disfarsene. Mi pareva di stare di fronte ad un rebus, la cui soluzione era facile, facilissima, eppure non la trovavo. Ho detto come pensando ad alta voce: "La targa sulla porta ha il nome di mia madre. Ma mia madre è morta molti anni fa. Mio padre non mi ha mai parlato di questo attico, che invece con ogni probabilità aveva comprato allora per lei."

"Che c'è di strano? Tua madre è morta e lui se l'è tenuto vuoto per molti anni per rispetto alla sua memoria e poi ha deciso di venderlo. E per venderlo meglio, l'ha restaurato. Me l'ha detto lui: i lavori sono durati due mesi."

"Non sapevo nulla, non mi aveva detto nulla."

"E io invece sapevo tutto. E allora, è contento il mio bambino di aver incontrato la sua mamma in un ambiente così luminoso e così nuovo?"

Così lei continuava a battere sul tasto della maternità anche dopo aver saputo che l'appartamento portava il nome di mia madre. Anzi, con sgradevole e volgare compiacimento, soprattutto adesso. Mi rendevo conto, però, che ciò che era o avrebbe dovuto essere per me una profanazione, per lei non era che una specie piuttosto comune di gioco erotico. E non me la sentivo di condannarla; anzi avvertivo nella sua parodia dell'amore materno qualche cosa di legittimo. Ho proposto: "Vogliamo vedere la terrazza?"

"Vediamola."

Ha preso a camminare lentamente lungo le vetrate. Mi sono fermato dietro di lei a guardare attraverso il finestrone ai pini di Villa Balestra; mi ha guardato in tralice e ha detto: "Perché mi stai dietro? Per guardarmi il sedere? Guardalo, guardalo pure, è fatto per essere guardato." E poi con effetto quasi comico ha accennato un movimento di sghimbescio per entro la tunica, prima con una natica e poi con l'altra.

A queste parole e ancor più a questo gesto, ho avuto di nuovo il senso di una profanazione volgare collegato senza dubbio col fatto della somiglianza con mia madre. Ho pensato con orrore: "Se non fosse morta giovane, forse la mamma sarebbe diventata così." Con un solo passo mi sono messo accanto a lei e le ho ingiunto: "La prego, non parli in questo modo."

Si è fermata, mi ha guardato con espressione di stupore eccessivo e burlesco: "Guarda, guarda, il ragazzo per bene si è svegliato. Mi sbirci il popò ma non vuoi che me ne accorga! Intanto vuoi o non vuoi darmi del tu? Alla mamma non si dà del lei. Be', vediamo ora la terrazza."

Mi sono precipitato ad aprire la porta finestra; mi ha preceduto; siamo usciti insieme nella luce abbagliante del cielo fitto di bianchi cirri trasparenti. Esmeralda è andata direttamente al parapetto, là dove la terrazza guardava al panorama di Roma e lì è rimasta, immobile, non tanto, come ho capito, per contemplare Roma quanto per farsi raggiungere da me.

Ancora una volta ho ubbidito al suo muto invito e sono andato ad affiancarmi a lei, contro il parapetto. Per un poco siamo rimasti zitti e fermi; poi lei ha alzato il braccio e ha indicato qualche cosa in fondo alla vasta distesa di tetti e di terrazze: "Quella collina come si chiama?"

Ho risposto, confuso: "Non lo so; non conosco Roma; sono sempre vissuto all'estero."

"Avrei dovuto pensarlo; hai un accento straniero. Dove, all'estero?"

"In Francia."

"Te lo dico io come si chiama quella collina: il Gianicolo."

Sul momento non ho capito perché mi avesse chiesto il nome di un particolare del panorama che, invece, le era perfettamente noto. Ma la mia incomprensione è durata poco. Mi indicava la collina del Gianicolo ma, intanto, aveva steso l'altro braccio verso il basso, tra me e il parapetto, e adesso sentivo la sua mano cercare qualche cosa alla cieca, sul tessuto dei pantaloni. Ha continuato: "Vedi quella cupola laggiù, sull'orizzonte?"

"Sì."

"È San Pietro. E quell'affare bianco, lo sai che cos'è?"

"No."

"È il monumento di piazza Venezia."

Adesso era riuscita a trovare quello che stava cercando: la linguetta della chiusura lampo. Di colpo la mano si è calmata. L'ho sentita abbassare la linguetta a strappi brevi e dolci. Poi si è introdotta con furtiva abilità per l'apertura, tra lo slip e la pelle nuda, ha indugiato, vittoriosa e possessiva, sul pube, si è insinuata sotto i testicoli, si è voltata in su soppesandoli nella palma, quindi ha estratto all'aria, con delicatezza e tenacia, l'intero mazzo dei genitali. Ha detto, convinta, senza un tremito nella voce: "Soltanto per questo panorama, prenderei l'appartamento." Ora andava storcendo di qua e di là il membro, come per saggiarne la rigidità; quindi, con brusca decisione, si è voltata e mi ha mormorato in un soffio: "Tu, guarda il panorama, non occuparti di me;" e si è deliberatamente accoccolata sotto di me, portando la testa all'altezza del mio ventre.

Ma non ho avuto il tempo di mettere in atto la sua raccomandazione di guardare al panorama. Ecco, tutto ad un tratto, sbucando, si sarebbe detto, di là dal cielo, con un fragore e una repentinità che ho sentito minacciosi e punitivi, ecco sbucare un grande elicottero che volava bassissimo, quasi sfiorando gli alberi di Villa Balestra. Assordante, violento, si è precipitato verso di noi; ho appena avuto il tempo di scorgere il pilota seduto al volante, la testa chiusa nel casco e poi l'elicottero si è allontanato, dileguandosi e impallidendo, fantomatica libellula grigia e diafana, e, alla fine, è scomparso del tutto, e con la sua scomparsa è cessato anche il rumore. Nello stesso momento, Esmeralda si è rialzata con violenza, è corsa attraverso la terrazza, è sparita per la stessa portafinestra dalla quale eravamo venuti.

Lo stupore per la fuga inspiegabile di Esmeralda, apparentemente atterrita, lei così intrepida, dal normale passaggio di un normalissimo elicottero, per un momento mi ha fatto restare immobile, distratto al punto da non rendermi conto del disordine dei miei blue jeans. Poi, il profondo silenzio e l'assoluta immobilità seguiti al fracasso dell'elicottero e alla fuga di Esmeralda mi hanno restituito la coscienza della stranezza, per non dire ridicolaggine, della mia situazione: solo su una terrazza, di fronte al solenne panorama di Roma, coi pantaloni aperti e il membro all'aria. Con gesto convulso ho rimesso dentro ciò che Esmeralda aveva tirato fuori, e intanto, preoccupato, guardavo alla terrazza.

L'appartamento aveva quattro portefinestre delle quali tre apparivano chiuse; quella per cui Esmeralda era fuggita, invece, era rimasta aperta. Ho pensato subito che era impossibile che qualcuno ci avesse spiati; le persiane erano del genere tradizionale, con le sbarre voltate in giù che non consentono di guardare lontano; e del resto chi avrebbe potuto spiare? L'attico era disabitato e la porta, chiusa. Ma mi restava egualmente un senso di apprensione vergognosa, come di esser stato visto mentre facevo qualche cosa di proibito. Proibito perché? Ancora una volta mi rendevo conto che il gioco erotico della maternità messo in atto da Esmeralda, per me non era stato un gioco.

Come per darmi un contegno, ho frugato nella tasca, ne ho preso il pacchetto delle sigarette e ne ho acceso una. Mi sono accorto che la mano che stringeva l'accendino mi tremava; poi, nel silenzio, una voce a me ben nota, ha gridato in tono canzonatorio: "Cucù, cucù, mi sono nascosta, cucù, cercami."

Così, ho pensato, riconoscendo la voce di Alda, la mia sensazione di essere spiato, dopotutto, era giusta. Evidentemente avevo dimenticato di chiudere la porta dell'appartamento e Alda, curiosa e forse gelosa, ne aveva approfittato per seguirci. Ho provato un senso di delusione. Dopo l'intervento minaccioso e misterioso dell'elicottero piombato su me ed Esmeralda dal cielo, tutta la vicenda, con quel cucù beffardo e infantile, pareva ridursi ad uno scherzo. Ho gridato con voce annoiata: "Lo so chi sei, sei la solita Alda. Ma non ho il tempo di cercarti. Vieni fuori e falla finita."

Ho aspettato ma non è venuta nessuna risposta. Adesso un dubbio mi angustiava: Alda ci aveva spiato? E se ci aveva spiato, che cosa aveva visto? Me ed Esmeralda che guardavamo il panorama con atteggiamenti, a dir poco, sospetti? Oppure Esmeralda accoccolata ai miei piedi con la testa all'altezza del mio ventre? Oppure ancora me solo con i pantaloni aperti e il membro all'aria? Queste tre alternative suonavano ed erano quasi comiche; ma io non riuscivo lo stesso a liberarmi da un ingiustificato senso di vergogna.

Intanto esaminavo attentamente le quattro portefinestre e alla fine mi sono accorto che le persiane della prima a sinistra non erano chiuse ma soltanto accostate. Di là, dunque, era venuta la voce; di là, quasi certamente, Alda aveva spiato. Ho detto sforzandomi a un tono colloquiale: "Senti, Alda, ti consiglio di venire fuori. Devo chiudere la casa e non vorrei che tu rimanessi intrappolata." Con mio sollievo ha risposto subito rude e inflessibile: "Andrai via quando mi avrai trovata."

"Ma io ti ho già trovata. Sei dietro la prima portafinestra, a sinistra."

"Però non mi hai veramente cercata."

Così lei voleva giocare, soltanto giocare; ed era impossibile sapere se ci aveva visti. Con dolcezza, ho interrogato: "Ma si può sapere perché fai tutto questo?"

"Oh bella! Per fare un gioco. Io mi nascondo, tu mi cerchi e mi trovi."

"E poi?"

"E poi niente: te ne vai a casa. Guarda, cercami e io ti dirò acqua, acqua, fuoco, fuoco, secondo se sarai lontano o vicino, dài, facciamo il gioco."

"Come debbo dirtelo: non ho tempo."

"Il tempo per quella signora l'hai avuto. Cosa credi? Che non vi ho visti?"

"Davvero? E che cosa hai visto?"

Ho aspettato la risposta con ansietà e, al tempo stesso, irritato di essere ansioso: "Ho visto quello che ho visto."

"Tu non hai visto proprio nulla."

"Sì, che ho visto!"

"Allora dillo."

"Ti dirò tutto. Ma prima devi cercarmi."

"Io me ne vado, ti lascio la porta aperta e me ne vado. Ciao."

"Aspetta, facciamo così: tu mi cerchi, se mi trovi ti dico quello che ho visto. Se non mi cerchi, non ti dirò niente."

Bruscamente mi sono diretto verso la portafinestra dalla quale veniva la voce. Mentre dischiudevo le persiane, mi è sembrato udire un fruscio di passi. Poi ho visto la camera del tutto vuota, dalle pareti bianche e dal pavimento di legno chiaro. Ma ho notato in fondo alla camera, sulla parete di sinistra, un piccolo uscio socchiuso, senza dubbio quello di un bagno, e ho capito che Alda si nascondeva lì. Infatti, ha subito gridato: "Acqua, acqua."

"Vuoi dire: fuoco."

"No, acqua."

Ho spinto l'uscio, c'era buio, la finestrella del bagno doveva essere chiusa. Ma nel chiarore che veniva dalla camera, ho intravisto un lavandino sormontato da uno specchio: il bagno pareva essere lungo e stretto, con tutte le porcellane allineate contro una sola parete. Ho gridato, affacciandomi: "Dove sei? Vieni fuori, ormai ti ho trovata."

"Fuoco, fuoco."

Quale istinto di gioco, e non soltanto di gioco, mi ha suggerito, nel momento stesso che trovavo sulla parete l'interruttore della luce, di non girarlo? E, anzi, di chiudere dietro di me l'uscio, piombando il bagno in un buio completo? Le braccia tese in avanti, ho mosso un passo verso il fondo dello stanzino e ho urtato con lo stinco contro un oggetto duro, probabilmente la tazza. Ho detto con intensa irritazione: "Ma si può sapere dove sei?"

"Fuoco, fuoco, ancora un passo e bruci."

Così, sia pure inconsciamente, il gioco era diventato ambiguo anche per lei. "Se mi brucio, sarà colpa tua."

Nello stesso momento, la mia mano, nel buio, ha incontrato il viso di Alda: ecco, sotto le dita, i capelli ai quali ho dato una leggera tirata; ecco, calda e liscia, la guancia che ho accarezzato per un attimo. Poi ho finto di sbagliarmi e le ho messo il dito nella narice e lei ha starnutito. Ecco infine le labbra di cui ho seguito col polpastrello il rilievo capriccioso. Alda ha detto allora, con voce allegra: "Ormai mi hai trovata. Adesso devi indovinare quello che ho visto?"

"Ma come, eravamo d'accordo che me l'avresti detto se ti trovavo!"

"Facciamo così: via via che tu mi tocchi ti dirò se hai toccato quella signora nello stesso modo o no."

"Ma io non l'ho toccata."

"Bugiardo! Via, facciamo questo gioco e poi ce ne andiamo."

“No, questo gioco, io non lo faccio.”
“Via, che ti fa?”
Non ho detto nulla, ho sfiorato di nuovo le labbra, poi il mento, alfine il collo. Allora, nel buio, la voce di Alda mi ha incoraggiato: “Acqua, acqua, più giù.”
Chi aveva detto la stessa cosa, o meglio il contrario, un momento fa? Esmeralda con i suoi “più su” incalzanti. Ma Esmeralda sapeva che cosa voleva; Alda invece giocava. “Più giù, no.”
“Con quella signora sei andato più giù, dài.”
“No, basta, andiamo via.”
Allora, nel buio, una voce, che pareva non di bambina ma di donna, ha cantarellato sarcastica: “Non hai coraggio, non hai coraggio.”
“Ma che dici?”
“Dico che non hai il coraggio di toccarmi come hai toccato quella signora.”
“Ah sì, non ho il coraggio.” In un impeto rabbioso ho teso la mano e questa volta decisamente verso il basso. Le mie dita hanno appena sfiorato il seno destro, non più che un acerbo rilievo sotto la maglia slentata; in confuso, pensavo di dimostrare il mio coraggio afferrandola a caso ad una parte bassa del corpo, magari al ventre. Ma la mia mano è stata intercettata dalla sua; con imprevisto vigore mi ha afferrato il polso e l'ha tenuto fermo implorando: “No, ho paura, non farlo.”
Mi sono arrabbiato sul serio, questa volta, forse più contro me stesso che contro di lei. Ho gridato: “Il gioco è finito, sono finiti tutti i giochi.” A questo grido la lampada del soffitto si è accesa. Evidentemente Alda, mentre le passeggiavo con le dita sul corpo, teneva la mano sull'interruttore, pronta a premerlo. Ai miei occhi, allora è apparso lo stanzino lungo e stretto, con le porcellane allineate tutte da una parte e Alda nell'angolo, tra la tazza e la parete, sotto il cilindro dello scaldabagno. Mi guardava con quei suoi occhi ambigui tra il sonno e il desiderio che la facevano

tanto assomigliare a mia madre e ad Esmeralda; poi si è mossa in silenzio, io mi sono fatto da parte, è uscita dallo stanzino e io l'ho seguita.

Sulla terrazza, mi ha chiesto sgarbatamente, avviandosi verso la portafinestra: "Come si chiama quella tizia?"

"Jodice. Esmeralda Jodice."

"E la rivedrai?"

"Perché dovrei rivederla? È una cliente di mio padre. Chi la conosce?"

"È scappata, ma vedrai che tornerà."

CAPITOLO OTTAVO

L'ALBUM DI FAMIGLIA

Era ormai tardi, ma ho trovato mio padre ancora a tavola. Adesso mi era venuto lo scrupolo professionale: temevo che Esmeralda, la cui fuga mi pareva tuttora inspiegabile, avesse telefonato nel frattempo a mio padre, si fosse lamentata di me. Sarebbe stato strano e assurdo; ma tutta la condotta della signora Jodice non era stata forse strana e assurda fin da principio? Un'occhiata è bastata per dissipare la mia preoccupazione. Mio padre, tranquillo e assorto, stava seduto davanti al suo piatto e non ha neppure levato la testa quando sono entrato. Si è limitato a chiedere: "Come mai così tardi?" Ho risposto seccamente: "Ho dovuto aspettare quasi mezz'ora. La signora Jodice mi ha fatto tardare."

Mi sono seduto, ho spiegato il tovagliolo. Oringia è entrata subito, ha portato il primo piatto. Ho preso a mangiare in silenzio. Mio padre ha scelto una mela dalla fruttiera, l'ha posata sul piatto, l'ha spaccata prima a metà, poi in quattro, e ha cominciato a sbucciare uno spicchio. Quindi ha chiesto senza alzare gli occhi: "E come ti è sembrata?"

"Ma chi?"

"La nostra cliente, la signora Jodice."

Mi sono accorto con sollievo che non provavo nessun senso di colpa e subito dopo mi sono irritato con me stesso per il sollievo. E se anche avessi fatto l'amore con la signora Jodice, perché mai avrei dovuto provare un senso di colpa? Ho detto a caso: "Deve essere stata, a suo tempo, una bella donna."

"Lo è ancora. Ha occhi bellissimi, una magnifica capigliatura, un portamento nobile. Forse non l'hai guardata bene."

Così mi stimolava al discorso su Esmeralda. Ho esitato prima di rispondere: dovevo dirgli che i bellissimi occhi naufragavano in un mare di rughe? Che la magnifica capigliatura era secca e priva di luce? Che il nobile portamento era guittesco, proprio da scadente cantante di musica leggera? Stavo per rispondere con queste critiche quando ho sorpreso negli occhi di mio padre un'espressione non tanto di curiosità quanto di ingenua, commossa ansietà. Senza spiegarmi perché fosse ansioso, mi sono corretto: "Sì, è vero, a suo modo è bella." E poi chissà perché mi è sfuggita la frase: "Ma è una bellezza matura; potrebbe essere mia madre."

Curiosamente, è ammutolito. Pareva riflettere, alfine si è deciso: "Insomma, non ti ha fatto alcuna impressione, diciamo così, particolare?"

"Nonostante la maturità, è una bella donna, ecco tutto."

"Si vede che non l'hai guardata bene."

C'era quasi un rimprovero nella sua voce. Mi sono difeso con voce annoiata: "L'ho guardata benissimo. Ho avuto tutto il tempo di guardarla." Sono stato zitto un momento e poi mi è venuta un'idea opposta a quella che finora mi aveva fatto essere reticente: avrei accontentato mio padre, avrei sfiorato la mia avventura con l'abilità istintiva del sonnambulo che passeggia a occhi chiusi su un cornicione. "L'ho guardata così bene che ho visto persino che ha una voglia scura sulla gamba. Gliel'ho vista quando mi sono chinato a raccogliere i lukumi che erano caduti in terra."

"I lukumi? Quali lukumi?"

Ho raccontato brevemente a mio padre l'incidente dei lukumi. Ho sfiorato davvero l'avventura, concludendo: "Mi indicava i lukumi col piede. Ho avuto l'impressione che, con la scusa dei lukumi volesse mostrarmi le gambe, aveva tirato su la tunica;" e mi sono meravigliato constatando che mio padre non pareva attribuire alcuna importanza ad un incidente che per me ne aveva avuta tanta. Ha detto seccamente: "Tutto qui, non hai notato nient'altro?"

"No, che cosa dovevo notare?"

"Ti credevo più osservatore," ha detto mio padre in tono di delusione, "ero sicuro che fin dal primo sguardo saresti stato colpito da qualche cosa che è molto più importante della voglia sulla gamba."

Questa volta non ho detto nulla, perché d'improvviso ho ricordato che, sì, avevo notato qualche cosa di particolare che sapevo importante non soltanto per lui ma anche per me: la somiglianza degli occhi della cliente con quelli di mia madre, somiglianza indiretta, mediata dall'analoga somiglianza degli occhi di Esmeralda con quelli di Alda e di questa con quelli di mia madre. Ma queste tre somiglianze che al momento in cui le avevo notate mi avevano dato l'impressione di soggiacere ad una specie di allucinazione adesso che mio padre mi interrogava, non mi sentivo più di ammetterle: non volevo avere niente da spartire con lui, neppure un'osservazione come quella, apparentemente innocua. Mio padre ha insistito: "Cerca di ricordare: Esmeralda non ti ha fatto pensare a qualcuno?"

Mi sono meravigliato; ma questa volta per un motivo che non era la somiglianza tra mia madre e la signora Jodice. Quella mattina, dandomi le chiavi dell'attico, mio padre aveva parlato di Esmeralda come di una cliente qualsiasi di cui non ricordava il nome. E adesso, invece, la chiamava Esmeralda. Tutto era chiaro, insomma, almeno per quanto riguardava il rapporto tra lui e la signora Jodice: Esmeralda era la donna misteriosa con la quale mio padre passava le serate. A quanto pare, esattamente come avveniva a me, lui non poteva fare a meno di ritrovare i tratti di mia madre in tutte le donne di cui si invaghiva.

Ma perché dandomi le chiavi dell'attico non mi aveva

avvertito che la cliente era quella cosiddetta compagna con la quale andava a cena la sera? Questa domanda appena formulata è stata sopraffatta e come cancellata da un'ovvia constatazione: il gioco erotico della maternità messo in atto da Esmeralda con me era dovuto non soltanto all'età ma soprattutto al rapporto quasi coniugale con mio padre. A sua volta quest'ultimo dava a vedere, con l'inganno dell'attico, di volere che Esmeralda mi apparisse in figura di madre. Così, piano piano, la visita all'appartamento di via Ammannati si rivelava come una specie di recita nella quale ognuno aveva mentito e assunto un ruolo non suo.

Non ho lasciato trasparire nulla di queste riflessioni. Ho ribadito: "No, non mi ha fatto pensare proprio a nessuno."

Nello stesso tempo, però, ho intravisto le inevitabili e sgradevoli implicazioni della mia avventura: adesso mi ritrovavo rivale di mio padre, con l'amante di lui che era o stava per diventare la mia.

Mio padre si è alzato ad un tratto dalla tavola e ha detto con improvvisa decisione: "Aspetta un momento. Adesso ti faccio vedere qualche cosa."

È andato all'altra estremità del soggiorno, ad un antico trumeau che si trovava presso la porta, l'ha aperto, ha cercato e trovato una molla: dentro il trumeau si è svelata una cavità segreta nella quale ho intravisto, pur da lontano, le coste di alcuni album rilegati in cuoio. Mio padre ha scelto uno degli album ed è venuto a metterlo, aperto, davanti a me, sulla tavola. Ritto accanto a me, ha sfogliato l'album; conteneva molte fotografie di mia madre con lui, da sola, con me, con altre persone. Ma lui, come mi sono accorto, cercava una fotografia particolare. Ad un tratto ha detto: "Guarda, e dimmi se non sono la stessa persona."

Ho guardato: sul foglio dell'album erano incollate due fotografie, l'una di mia madre, e l'altra, come ho capito subito, di Esmeralda giovane. La fotografia di mia madre, per una singolare combinazione, era la stessa, ma con la parte inferiore intatta, che conservavo nel portafoglio: mia madre vi appariva in camicetta e minigonna, appoggiata con la schiena ad una ringhiera, su uno sfondo marino, col vento che le soffiava in faccia una ciocca di capelli. Esmeralda, invece, era stata fotografata a mezzo busto, in un vestito da sera molto scollato che le lasciava nude le braccia e la sommità del petto. Ho provato un senso quasi di nausea: la forma del volto, i tratti essenziali e soprattutto gli occhi, rivelavano un'innegabile somiglianza. Ho detto seccamente: "Lo vedo, sono due fotografie, l'una della mamma, l'altra della signora Jodice. Ma che c'entra la signora Jodice? E perché hai incollato qui dentro la sua fotografia?"

"Ma come!" ha esclamato mio padre, "non lo vedi che sono identiche?"

Avrei voluto domandare: "Ma, insomma, che cos'è? chi è per te la signora Jodice?" irritato da un equivoco che stava prolungandosi troppo a lungo; ma lui mi ha prevenuto: "La signora Jodice qui ha la stessa età di tua madre e sembra, a dir poco, una sua gemella. Mi rendo conto, però che, adesso, vorrai sapere perché ho fatto questo montaggio. Ebbene, Mario, è giunto il momento di dirtelo. Ma prima di tutto devo ancora spiegarti qualche cosa."

Con queste parole in qualche modo solenni, mi ha lasciato intento a guardare l'album aperto, ha fatto il giro della tavola, è tornato a sedersi di fronte a me: "Vedi, Mario," ha ripreso in tono confidenziale e tuttavia teatrale, chinandosi in avanti, "tu sei ormai un uomo già fatto e non dubito che conosci il mondo meglio di me. Ma nel caso di tua madre, tu sei soprattutto un figlio, e come figlio non puoi assolutamente capire che specie di sentimento provassi per lei. Mario, io l'ho amata, veramente amata e ho fatto per lei delle follie. Ti ho detto che mi ha costretto ad essere al tempo stesso Otello e Iago. Aggiungi Mario a questi due personaggi di Shakespeare, una terza figura immortale: Romeo. Sì, Mario, tua madre è stata la mia Giulietta e io sono il suo Romeo che ne piange ancora la fine prematura."

Non sapevo che dire e neppure dove guardare. Avrei voluto distogliere gli occhi dalle due fotografie, ma mi ripugnava di rivolgerli a mio padre, istrione infervorato e probabilmente sincero: "Perché ti dico tutto questo, Mario?" ha ripreso dopo un momento di silenzio, "perché, come avrai già capito da un pezzo, Esmeralda è la mia compagna, la donna che amo ormai da due anni. Ma io, Mario, e questo rimanga tra noi, da uomo a uomo, non avrei mai fatto di Esmeralda la mia compagna, non l'avrei mai amata di vero, appassionato amore, se non avesse somigliato in maniera così stupefacente a tua madre."

Ho ribattuto, senza alzare gli occhi: "Va bene, ma perché non mi hai detto subito che Esmeralda era la tua compagna? Perché mi hai fatto fare tutta quella commedia della visita all'attico?"

"È lei che l'ha voluto, Mario. Ha detto che voleva conoscerti senza che tu sapessi chi era."

"Ma perché?"

"Mario, è giunto il momento di dirtelo. Esmeralda ed io abbiamo deciso di sposarci entro il mese. Ma lei non era sicura di piacerti e che tu le saresti piaciuto. E allora ha voluto incontrarti come se tu fossi stato un agente immobiliare e lei una cliente qualsiasi."

"Spero di non esserle riuscito antipatico?"

"Al contrario, mi ha telefonato poco fa e mi ha detto tutto il bene possibile di te."

"Ma sulla porta dell'attico c'è il nome della mamma."

"Si capisce. Deve averlo. È stato per tanti anni la casa in cui avevo voluto che tua madre abitasse. Adesso sarà la casa dove andremo ad abitare, tu, io, e la donna che amo e sposerò soprattutto perché somiglia a tua madre. Sì, Mario, sarà come se la mia vita, sospesa per quindici anni, riprendesse il suo corso al punto preciso in cui si era interrotta. Dunque Mario, da una parte moglie nuova, con un figlio, per così dire, nuovo, casa nuova; dall'altra, tutto come prima, meglio di prima."

Era sincero mio padre? Era convinto? In tutti i casi dimostrava il massimo di aderenza alla parte che aveva scelto di recitare. Si è interrotto un momento come chi è sopraffatto dalla commozione, quindi ha ripreso in tono conclusivo: "La famiglia, Mario, quest'è stato lo scopo che mi sono prefisso per tanti anni, e adesso posso dire di averlo raggiunto."

La famiglia! C'era, ho riflettuto, in questa esclamazione lo stesso genere di nostalgia di Alda allorché parlava della felicità domestica. Se non che, come ho pensato senza troppa ironia, si trattava in ambedue i casi di famiglie molto particolari: in quella di Alda, la figlia era attirata dal padre e gelosa della madre; in quella di mio padre, la madre giocava all'incesto col figlio.

Mio padre mi guardava aspettando che mi fossi riavuto dalla sorpresa. Per una volta ho voluto davvero parlare, come lui era solito dire, da uomo a uomo: "Credo che l'amore che provavi per la mamma te la fa vedere un po' in tutte le donne. Ma non importa: se l'ami, fai bene a sposarla."

Pensavo a me stesso, oltre che a lui: anch'io vedevo mia madre in altre donne, in Alda, in Esmeralda. Ma, al contrario di lui, non mi era possibile risolvere la mia ossessione con un matrimonio. Mio padre, intanto, si lasciava andare al flusso dei sentimenti: "Vedrai che voi due, tu ed Esmeralda, andrete ben presto d'accordo, non dico proprio come una madre e un figlio, ma quasi. Ti ho già detto che mi ha telefonato e mi ha parlato di te. Lo sai che cosa le ha fatto soprattutto impressione?"

"Che cosa?"

"Che sei un poeta."

"Non sono un poeta. Vorrei esserlo. E poi come ha fatto a saperlo? Non abbiamo parlato di poesia."

"Gliel'ho detto io, e lo sai perché? Perché anche lei ha scritto delle poesie."

"Delle poesie?"

“Sì, le parole delle sue canzoni.”

“Saremo una famiglia di poeti,” ho commentato con ironia, “poeta il figlio, poeta la matrigna, e poeta anche tu; scommetto che anche tu hai scritto delle poesie.”

Mio padre ha sospirato con una falsità di pessimo attore che mi ha fatto fremere: “Ahimè, Mario, non sono poeta. Ma la poesia l’ho qui nel cuore,” e si è battuto la mano sul petto. “Diciamo che sono poeta nella vita. Per me la poesia ha un nome ed è quello di tua madre: Dina.”

Ha sospirato di nuovo, quindi: “A proposito, forse sarebbe opportuno che tu telefonassi ad Esmeralda per dirle che sai del nostro matrimonio e che sei felice anche tu che ci sposiamo. Mica per altro: per non darle l’impressione che sei offeso dal nostro piccolo inganno. Se vuoi, ti do il suo numero di telefono.”

Era precisamente ciò che volevo da lui. E invece, con inspiegabile, misteriosa ritrosia, ho risposto in fretta: “No, per ora, no. Me la presenterai, diciamo così, ufficialmente, uno di questi giorni. Adesso, così al telefono, non saprei cosa dirle.”

Ha approvato con calore: “È giusto, è giustissimo, ti capisco, capisco il tuo imbarazzo: Esmeralda, così simile a tua madre, prenderà ben presto il posto di tua madre. Devi abituarti all’idea. Allora dimmi almeno qualche parola per lei che poi le riferirò.”

“Dille che sono contento di averla conosciuta. Dille che d’ora in poi deve dimenticare l’agente immobiliare e non vedere più in me che un figlio.”

CAPITOLO NONO

LA PARTITA DI CALCIO

Appena se n'è andato, avrei voluto corrergli dietro per chiedergli quel numero di telefono di Esmeralda che uno strano soprassalto di pudore mi aveva fatto rifiutare un attimo prima. Mi accadeva, del resto, sempre così: la consapevolezza della mia riprovevole, innata disponibilità faceva sì che, nelle occasioni che via via mi si offrivano nella vita, mi accontentassi spesso di un successo iniziale, simbolico e poi mi tirassi indietro, sia pure per piombare, come adesso, nel più amaro rammarico. Era chiaro che Esmeralda, telefonando a mio padre, aveva inteso lanciarmi un messaggio rassicurante; ma io, lì per lì, non avevo voluto approfittarne: mi era bastata per un momento la certezza che ciò che era avvenuto quella mattina nell'attico, poteva ripetersi nel futuro ogni volta che l'avessi voluto.

Ma c'era una novità a modificare le alternative della disponibilità, ed era il pensiero, o meglio l'ispirazione improvvisa e folgorante che con Esmeralda, così somigliante a mia madre e così ben disposta a recitarne la parte, mi si offriva un'occasione unica di mettere in atto ciò che non mi era riuscito di fare con la cameriera Oringia: ripetere, a scopo terapeutico, la scena traumatica dell'amore di mia madre con Terenzi, mettendo me al posto di quest'ultimo ed Esmeralda al posto di mia madre. Come avevo fatto con Monique, avrei cancellato col mio amplesso quello di Terenzi, lavato il suo seme con il mio.

Era uno schema astratto, buono, in fondo, soprattutto,

per giustificare la continuazione del mio rapporto con Esmeralda. Ma a dar vita allo schema interveniva il desiderio reale e inspiegabile che mi ispirava la mia futura matrigna. Questo desiderio oltrepassava lo schema; forse avrebbe potuto anche farne a meno. In tutti i casi, schema o non schema, mi conveniva agire al più presto con Esmeralda e non già in un futuro imprecisato, ma subito. Questa urgenza dettata in realtà dal desiderio ma mascherata di razionale utilità mi faceva pentire amaramente di aver rifiutato l'invito di mio padre a telefonare a Esmeralda. Almeno mi fossi appuntato il numero, dicendogli che mi riservavo di telefonarle! Ma no, l'avevo rifiutato! Dalla disperazione, adesso, avrei voluto darmi i pugni in testa.

Bruscamente mi sono alzato dalla tavola e sono andato quasi di corsa nella camera da letto di mio padre. Speravo che tenesse un'agenda sul tavolino da notte, presso il telefono. Ma non c'era alcuna agenda. Le due finestre erano aperte; con istintivo impulso sono andato ad affacciarmi e ho guardato in basso: pazzamente mi era venuto in mente di chiamare mio padre, or ora uscito per recarsi in agenzia, raggiungerlo in strada e, con un pretesto qualsiasi o anche senza pretesto, farmi dare il numero di Esmeralda.

Per una combinazione misteriosa quanto casuale, c'era il solito spettacolo delle macchine ferme al semaforo rosso che mi si presentava ogni volta che mi affacciavo sul lungotevere: mai mi era accaduto finora di sorprenderle mentre correvano col segnale verde di via libera.

Mio padre stava attraversando la strada, più tozzo e più basso che mai, così visto dall'alto. Come sapevo, attraversava per camminare, poi, lungo il parapetto del Tevere. Era solito andare a piedi all'agenzia per fare, come diceva, dell'esercizio; e preferiva la prospettiva del fiume, più amena di quella dei palazzi allineati in fila dall'altra parte del lungotevere.

Per un momento mi sono per così dire dissociato, e mi sono visto, ansimante e trafelato, nel mezzo dell'asfalto, davanti tutte quelle macchine ferme e frementi, domandare a mio padre stupefatto il numero telefonico di Esmeralda. Poi, ad un tratto, alle mie spalle, quieto, sommesso ma imperioso ha preso a squillare il telefono.

Mi sono voltato a metà dal davanzale e ho esitato. Non telefonavo e non ricevevo telefonate; nella mia vita, a Roma, non c'erano che Jeanne e Alda e loro potevo vederle quando volevo a Villa Balestra. Il telefono, così, certamente squillava per mio padre; e non me la sentivo, in quel momento, di fargli da segretario. Ma lo squillo continuava con un'insistenza paziente, come di qualcuno che sapesse di certo che ero io a sentirlo, non mio padre. Allora mi sono staccato dal davanzale e sono andato a sollevare il ricevitore. Ho riconosciuto subito la voce di Esmeralda che chiedeva: "Sei tu Riccardo? Dov'eri? Si può sapere perché non rispondi?"

Ho detto col cuore in tumulto: "Mio padre non è in casa."

"Con chi parlo?"

"Con Mario."

All'altro capo del filo la voce ha avuto un sobbalzo di vitalità: "Oh che bella sorpresa! Veramente volevo tuo padre. Ma forse, sotto sotto, volevo proprio te. Come sta il mio bambino?"

Stavo in piedi presso al letto, tenendo con una mano il ricevitore contro l'orecchio. Ho portato l'altra alla subitanea gonfiezza del mio membro e non ho potuto fare a meno di pensare che la voce di Esmeralda che alludeva al suo gioco incestuoso, bastava da sola a turbarmi più che la persona intera di Jeanne. Ho interrogato, di rimando: "Ma si può sapere perché sei fuggita dalla terrazza quando l'elicottero ci è passato sopra la testa?"

"Ti ha seccato, eh, proprio sul più bello? Non importa, troveremo un'altra terrazza."

"Sì, ma perché sei scappata?"

"Perché non mi piace essere guardata in certi momenti."

"Ma chi ti guardava?"

"Quella tua amichetta della porta di fronte. Aveva aperto le persiane e ci guardava."

"Tu credi che ci ha visti?"

"Altroché! Dovevamo essere buffi, te in piedi che contemplavi il panorama e io accoccolata che contemplavo il tuo coso!"

Ho chiesto turbato e rabbioso: "Quando ci vediamo?"

"Il mio bambino vuole ancora bene alla sua mamma anche se all'ultimo momento non gli ha dato il dolce che gli aveva promesso?"

Ho pensato: "Quanta volgarità." Ma al tempo stesso, ho balbettato: "Sì, mettiamo che le vuole bene."

"In questo caso, anche oggi, anche subito."

Improvvisamente, dal fondo della memoria che l'aveva registrato una volta per tutte, è risalito il progetto di fare con Esmeralda ciò che non ero riuscito a fare con Oringia. Ma ho ricordato che oggi era sabato e così la partita di calcio del campionato, indispensabile per la messa in scena degli amori di mia madre, avrebbe avuto luogo domani, domenica: "Oggi, no," ho detto con rammarico: "Domani."

Si è subito informata con curiosità: "Perché domani, che hai da fare di così importante oggi?"

"Non ho nulla da fare."

"E allora?"

Ho esitato. Mi rendevo conto che mentre lei non faceva che giocare all'incesto, io stavo invece affrontandone l'esperienza seria e diretta: "A dirti la verità, preferisco domani, perché domani c'è la partita."

"La partita?"

"Sì, la partita, domani è domenica, no?"

"Ah, ah, sei un tifoso, chi l'avrebbe mai detto? Ma che c'entro io con la partita?"

"Vorrei vederla con te."

"Andare con me allo stadio, che idea! Oltretutto non posso più sopportare le folle. Ne ho viste troppe nella mia vita."

A misura che mi ingolfavo nel mio progetto, provavo un imbarazzo crescente, come di fronte ad un'impresa disperata dall'esito incerto. Ma mi restava pur sempre la giustificazione del desiderio. Quel desiderio che la sola voce nella cornetta del telefono era bastata a suscitare: "Non allo stadio, ma a casa tua, alla televisione. Vorrei guardare la partita insieme con te."

"Non sapevo che tu fossi un tale tifoso, non si direbbe a vederti."

"Eppure lo sono."

"Ma lo sai che sei strano. Vuoi vedere la partita oppure me?"

"Tutte e due."

"Prima la partita e poi me, o viceversa?"

"No, insieme."

"Insieme, che vuol dire insieme?"

Ho provato la sensazione al tempo stesso disperata e pugnace di chi si vede messo con le spalle al muro: "Insieme vuol dire che guardiamo insieme la partita e nello stesso tempo facciamo l'amore."

"Ah, è così!"

"Sì, è così."

"Ma lo sai che sei veramente strano! Mi fai venire la curiosità. E come lo immagini tu quest'amore davanti alla televisione."

Un ricordo mi ha soccorso: a Parigi, nel negozio di antiquario del padre di un mio compagno di università, avevo visto un album giapponese con le diverse posizioni del rapporto sessuale. Il mio compagno mi aveva spiegato che quel genere di album, in passato, veniva regalato dai genitori alle spose alla vigilia delle nozze. Rinfrancato da questo ricordo, ho detto con disinvoltura: "La vedo così: io seduto sul divano in atto di guardare lo schermo della televisione; tu a cavallo sulle mie ginocchia, con le spalle allo schermo. Io seguo la partita e intanto ti lascio fare. Tu non segui la partita e fai."

"Faccio che cosa?"
"L'amore."
"Ma sei proprio strano. E che vuoi ancora? La luce o il buio?"
"Si capisce, il buio."
"E noi due come saremo, nudi o vestiti?"
"Vestiti: stavamo guardando insieme la televisione; ad un tratto abbiamo avuto voglia di fare l'amore e l'abbiamo fatto. Vestiti, si capisce."
"A me l'amore vestita mica piace tanto. Non si è liberi e si suda. Soprattutto oggi, con questo caldo. E che altro vuoi ancora? Si tratta di un copione, tanto vale sapere tutto."
"Vorrei che tu non mi chiamassi bambino, figlio e simili."
Quest'ultima richiesta, l'ho intuito subito, significava il contrario giusto di quello che pareva significare. In realtà, avevo detto: "Vorrei che tu continuassi a chiamarmi bambino, figlio e simili." Con straordinaria intuizione, lei ha risposto: "Come farò a non chiamarti bambino e figlio? Non te l'ha detto tuo padre?"
"Ma che cosa?"
"Quando poco fa gli ho telefonato, mi ha detto che ti aveva informato di tutto."
"Di tutto?"
La voce si è fatta insofferente, come se fosse stata costretta a parlare di sciocchezze senza importanza: "Ma sì, di tutto: che tuo padre ed io siamo amanti; che al più presto ci sposiamo. Su, non far finta di non saperlo!"
Ho detto con sforzo: "Sì, mi ha detto tutto, e allora?"
"Allora, come puoi chiedermi di non chiamarti bambino, figlio e così via? Tu ci pensi? Tra un mese al massimo, saremo madre e figlio."
"Matrigna e figliastro."
"Va bene, va bene, matrigna e figliastro, come vuoi tu. Adesso capisco: non vuoi che ti dica che potresti essere mio

figlio perché ti darebbe l'impressione di fare l'amore con tua madre!"

Così girava intorno alla verità, come un cane da caccia intorno al cespuglio dentro il quale si nasconde la preda: "Non tanto di far l'amore con mia madre, quanto di tradire mio padre."

A questo punto c'è stato un silenzio inspiegabile e in qualche modo solenne, poi dal ricevitore, come dalla grotta di un oracolo, è venuta questa frase: "Ma non lo sai che di fronte all'amore non c'è niente che tenga: né la famiglia, né l'amicizia, né il padre, né la madre?"

Era la voce di Esmeralda che parlava o quella di una sibilla ispirata e crudele? Ho balbettato: "Lo so."

La voce solita, rauca e rude, ha ripreso: "Ad ogni modo faremo come vuoi tu, benché il gioco del calcio, a dire il vero, è l'ultima cosa alla quale penserei in certi momenti. Lo sento ma non lo spiego: tutto questo è strano, molto strano. Di' la verità: c'è qualche cosa sotto che non mi dici. Far l'amore guardando la televisione non è una cosa naturale e magari bella come far l'amore in un bosco o sulla spiaggia del mare. Lo sento, c'è qualche cosa sotto."

"Non c'è niente sotto."

"Di' la verità, è qualche cosa che è successo a qualcuno, magari a un tuo amichetto, che poi te l'ha raccontato e ti ha fatto venire la voglia di farlo anche tu."

Adesso era vicinissima alla verità: l'amichetto ero io stesso, bambino, che assistevo, atterrito, agli amori di mia madre. Per un momento ho provato lo stesso impulso a confidarmi che Jeanne mi aveva ispirato nell'aereo. Ma come con Jeanne, ho sentito che tutto potevo confidare o meglio rivelare salvo ciò che consideravo la parte segreta della mia vita. Anche se, come ho pensato, rifiutando a Esmeralda questa confidenza, in realtà le rifiutavo me stesso.

Ho mentito di nuovo: "Non voglio ripetere niente, non voglio imitare nessuno. Me lo sono inventato da solo, mi piace l'idea, ecco tutto."

D'improvviso è sembrata convinta: "Fare insieme il tifo e l'amore!" ha esclamato mettendosi ad un tratto a ridere a gola spiegata, "mica male, dopotutto. Una donna è come la porta del gioco del calcio, e i giocatori si battono per entrarci. Mica male davvero! Vuoi che giochiamo il gioco fin in fondo? Vuoi che strilli 'goal', nel momento in cui infilerai la porta? Vuoi che faccia come il portiere, che te lo faccio desiderare ben bene il tuo goal, ah, ha, ah."

All'altro capo del filo la sentivo ridere di gusto. E provavo non so quale gratitudine per una volgarità così sensuale e così naturale.

Poi, bruscamente, ha smesso di ridere. Ha fatto una confidenza inaspettata: "Meglio in tutti i casi il tifo con te che la commedia con tuo padre."

"Quale commedia?"

"La commedia di far finta di non essere me stessa ma un'altra persona. La commedia della somiglianza."

Ho trasalito di orrore all'idea di essere, sia pure inconsciamente, paragonato a mio padre. Ho detto fingendo sorpresa: "Ma che dici?"

"Dico che lui si è ficcato in testa che somiglio a tua madre. Chiunque vedrebbe che, a qualsiasi età, non abbiamo mai avuto niente in comune. Ma lui è fissato, mi vede come una copia conforme, così nel fisico come nel morale. Ma tu, di' un po', hai questa impressione?"

"Per nulla."

"E lui, invece, mi vede identica. E vorrebbe che fossi, per così dire, più identica ancora. Per esempio, in certi momenti più intimi, mi chiama Dina, come tua madre. E poi io non sono bruna ma rossa, così in testa come lì. Sono anzi la mia bellezza i capelli, rossi come una fiammata. A Viareggio, dove sono nata, mi chiamavano 'vampa', facendo un gioco di parola con vamp, che in inglese vuol dire donna fatale. Vedi il doppio senso? E invece, nossignore, per assomigliare a tua madre, lui vuole che io sia bruna, brunissima."

Ho cercato di ricordare e allora, sì, mi è apparso nella

memoria il tosone del pube folto e nero, come reso più nero dalla bianchezza lucida della sua carnagione di donna rossa. Chissà perché ho insistito: "Vuole che tu sia bruna anche lì?"

"Si capisce, e sotto le ascelle. Magari anche i peli del naso se li avessi. Eh, eh, è un perfezionista tuo padre! E poi i vestiti."

"Come i vestiti?"

"Ma sì, vorrebbe che portassi la minigonna, come lei. Qui, però, punto i piedi; la minigonna non mi sta bene; sono un po' forte. Così abbiamo fatto il compromesso: la porto in casa, ma fuori di casa, mi vesto come mi pare. E ancora vuole che sotto non porti niente. A quanto pare tua madre, sotto il vestito, era nuda e aveva l'abitudine di sedersi con le gambe incrociate, così che lui potesse ficcarle quei suoi occhiacci fino in fondo alle cosce. Con questi sistemi, lei gli aveva fatto perdere la testa, e adesso vorrebbe che gliela facessi perdere anch'io. Non ho niente in contrario che la perda, tanto non perderebbe niente di prezioso. Ma voglio che la perda per me e non per un'imitazione della defunta consorte."

Chiacchierava allegramente con la sicurezza e la libertà che le venivano della nostra complicità. Ma io soffrivo: ciò che era innocua mania in mio padre, per me era ragione di vita. Ho detto bruscamente: "Allora ci vediamo domani."

"A domani, faremo il tifo insieme. Ciao bambino. Pardon, ciao Monsù Mario De Sio."

CAPITOLO DECIMO

LA PERA DI CAUCCIÙ

Sono uscito subito e, con la naturalezza automatica dell'inconscio, sono salito in macchina e ho preso a guidare in direzione di Villa Balestra.

Pensavo, guidando, che, sia pure con una giustificazione lucida e consapevole, io m'apprestavo a diventare l'amante dell'amante di mio padre, o meglio, della mia matrigna, vista l'imminenza delle nozze. Non mi piaceva affatto pensarlo, ma questo era, tuttavia, il punto.

Naturalmente c'era la scappatoia della poesia: un poeta, per giunta un poeta le cui poesie sono state "già" scritte da un altro poeta, può permettersi tutto. Ho recitato mentalmente cercandovi una conferma, questi versi del mio caro Apollinaire:

> Oh, la mia giovinezza abbandonata
> Come una ghirlanda sfogliata
> Ora ecco viene la stagione
> del disdegno e della suspicione.

Ho voluto tradurre, per gioco, il testo francese in italiano, con le rime e i versi; ma mi sono subito accorto che, così in italiano come in francese, per una volta, Apollinaire non funzionava; e la goffa parola "suspicione" con la quale, per amor della rima, avevo tradotto "soupçon", mi ha fatto l'effetto sconcertante di quei fiori belli e strani che, tuttavia, se vi si porta il naso, offendono l'olfatto con un odore fetido.

Sì, ho pensato ancora, la mia giovinezza era ormai una "ghirlanda sfogliata" ed era venuta davvero la stagione del disprezzo e del sospetto. In termini meno poetici, io mi stavo imbarcando in una brutta storia. E a mitigarne la bruttezza non valeva il progetto terapeutico di liberarmi dell'ossessione, ripetendo con un'altra donna la scena degli amori di mia madre. Insomma, forse, la giovinezza stava davvero diventando sulla mia fronte una ghirlanda di fiori appassiti e puzzolenti. E non potevo evitare il sospetto di essere non già un poeta ma un piccolo, volgare "maquereau" implicato in una lurida tresca familiare.

Ma subito, dopo, ho pensato: "Macché ghirlanda appassita! Ho vent'anni." E mi sono sentito meglio.

Ho parcheggiato con cura la macchina proprio di fronte alla casa di Alda e di Jeanne. Come sono disceso, ho guardato in su, verso il balcone più alto. Allora ho visto Jeanne che faceva qualche cosa ritta in piedi dietro le cassette fiorite. Con gioia e con sollievo, ho gridato: "Jeanne, Jeanne, perché non vieni giù;" l'ho vista sporgersi a guardarmi, ho ripetuto la frase e lei ha fatto un gesto come per dire che aveva sentito e che andassi ad aspettarla a Villa Balestra. Ad un tratto ho capito quello che stava facendo: con un paio di cesoie, tagliava le rose già sbocciate dei cespugli delle cassette; ne aveva già un mazzo tra le braccia. Ubbidiente, mi sono avviato verso il portale di Villa Balestra.

Non ho aspettato molto. Di lì a una decina di minuti, l'ho vista camminare per il prato, verso il banco sul quale mi ero seduto. Faceva l'effetto di un'apparizione graziosa e rassicurante, con la sua gonna plissettata di lino grezzo, che le ondeggiava ad ogni passo dai fianchi un po' larghi al di sopra delle caviglie sottili e eleganti. E tuttavia, non ho potuto fare a meno di pensare, era pur sempre la vedova inconsolabile e maniaca che tagliava le rose della terrazza per metterle in vaso nella camera coniugale trasformata, secondo le informazioni di Alda, in funebre cappella.

Si è seduta accanto a me, ha dato un colpo della mano

alle pieghe della gonna e ha chiesto con la solita intonazione parigina acuta e cantante: "Come va, come va?"

Ho detto convinto: "Malissimo."

Mi ha osservato, in tralice, con una curiosità critica insolita in lei e nuova per me: "Infatti, si vede."

Mi sono allarmato: "Si vede? E che cosa si vede?"

"Hai l'aria stanca e sei pallido."

"Molto pallido?"

"Non sei un tipo abbronzato. Ma oggi sei proprio pallido, hai gli occhi segnati."

Ho detto a voce bassa: "Devo parlarti."

Come mossa da un impulso irresistibile, ha teso la mano, mi ha accarezzato sulla guancia: "Parlare a me? Abbiamo parlato tanto, è un pezzo che parliamo, no?"

"Non voglio parlarti tanto per parlare, voglio dirti una cosa precisa."

"Una cosa precisa?"

"Sì, devo parlarti di qualcosa che mi sta succedendo."

Ha fatto un viso come di sorpresa eccessiva: "Ma che c'entro io?"

"C'entri perché soltanto tu puoi darmi un consiglio."

Mi ha misurato con sguardo altero: "Ho paura che mi prendi per quella che non sono."

"Perché?"

"Non sono capace di dar consigli a me stessa. Figuriamoci agli altri."

Mi sono posto ad un tratto la questione: questo tono sdegnoso non indicava forse che lei si aspettava che riprendessi il nostro rapporto al punto di maggiore intimità, cioè di quando le avevo posato la mano sul seno? Oppure, al contrario, voleva dire che non dovevo assolutamente ripetere quella carezza alla quale non aveva saputo o voluto dare un seguito? Ad ogni modo, ho pensato un po' cinicamente, una carezza non è che una carezza, e mi conveniva tentare. La mia mano, quasi indipendente dalla mia volontà, si è mossa attraverso lo spazio, ha posato la palma sul suo seno, visibile come l'altra volta per il tono rosato che ne traspariva per entro il tessuto bianco e tenue della camicetta. Ma ha subito respinto con energia la carezza, tirandosi indietro e dicendo: "Non ho al petto una di quelle pere di caucciù delle vecchie automobili. Puoi stringere quanto vuoi, non farà pepè."

Ho detto mortificato: "Scusami," e senza indugio mi sono alzato in piedi e ho fatto per andarmene.

Subito, come pentita, si è protesa, mi ha afferrato la mano e l'ha guidata a fare la carezza che, or ora, aveva respinto: "No, non te ne andare, siediti, dimmi, ti ascolto, dimmi quello che ti sta succedendo."

Un vecchio signore che stava passando in quel momento ci ha guardati meravigliato e ha affrettato il passo. Dovevamo fare uno spettacolo strano in un giardino pubblico: lei che si protendeva dal banco e si premeva la mia mano al petto; e io, ritto in piedi, che la lasciavo fare. Mi sono seduto di nuovo, ho detto: "Mi sta succedendo una brutta storia."

"Con chi? Con tuo padre?"

"Indirettamente anche con lui. Con la sua donna."

In fondo, mi sono detto, con queste parole, le confermavo, se ce ne fosse stato bisogno, la mia invincibile freddezza verso di lei. Ma, curiosamente, questa volta ha nascosto il suo disappunto con la premura tutta nuova di chi finge di rinunziare ad una intimità impossibile perché, in realtà, ha trovato una maniera diversa di arrivarci: "La donna di tuo padre? Non mi avevi mai detto che ne aveva una."

"Non la conoscevo, lui stesso non me ne aveva mai parlato."

"Ma chi è?"

"È una ex cantante di musica leggera. Lui la vedeva tutte le sere ma non me l'aveva mai fatta conoscere. Ma che importa tutto questo? Io non voglio mica annoiarti con le mie confidenze."

Ha detto con intrepidezza: "Io sono una donna che non è mai riuscita a farsi amare dall'uomo che amava. In compenso ne ero la confidente e mi raccontava tutto. Proprio tutto quello che gli succedeva con le donne innumerevoli con le quali mi tradiva. Si vede che questa è la mia vocazione. Allora, dimmi che ti sta succedendo con la donna di tuo padre?"

Era veramente curiosa? Oppure rassegnata alla parte che, a quanto diceva, le aveva imposto la vita? Ho detto malvolentieri e insieme irresistibilmente fiducioso: "Mio padre mi ha chiesto di accompagnare una certa signora Jodice a visitare un appartamento. Per una combinazione: proprio l'attico disabitato che si trova di fronte al vostro."

"Sì, l'attico che porta il nome di tua madre."

Mi sono fermato di colpo. Non avevo mai parlato di mia madre con Jeanne, pur tra le tante confidenze alle quali mi ero lasciato andare. Ho provato lo stesso sentimento quasi di orrore di un abitante di Tahiti o altra isola oceanica che trova delle orme di piedi umani impresse sul suolo del proprio campo, nonostante lo scritto che lo proibisce: "Tabù!" Ho detto turbato: "Ma come fai a saperlo?"

"Che cosa?"

"Che il nome sulla porta è quello di mia madre?"

"Hai dimenticato che tempo fa mi avevi detto che lo zio presso il quale sei sinora vissuto a Parigi, si chiama Diotallevi? Ora è uno zio materno, dunque qualcuno che logicamente porta lo stesso nome di tua madre."

Sono rimasto un momento confuso: l'orrore per il tabù infranto era scomparso; ma subentrava adesso la sensazione sconcertante che Jeanne sapesse "tutto" di me, persino la mia ossessione filiale. Ho ripreso cercando di dare alla mia voce un tono ironico: "Questa signora Jodice, però, si è ben guardata dal dire che era l'amante di mio padre; e lui, dal canto suo, non me l'ha presentata come la sua donna ma come una cliente qualsiasi, di cui non ricordava il nome. Insomma: mi hanno teso una specie di trappola."

"Ma a che scopo?"
"Secondo mio padre, volevano vedere se lei piaceva a me e io piacevo a lei, visto che stanno per sposarsi. Una specie di prova o, se vogliamo, di esame."
Ha detto arditamente: "Infatti vi siete piaciuti, no?"
"Non proprio."
"Perché non proprio?"
Ho mentito: "Io sono piaciuto a lei, ma lei non è piaciuta a me."
"Ne sei sicuro? Ma hai parlato di trappola; dunque ci sei cascato."
Sotto il suo sguardo indagatore, mi sono di nuovo confuso: "Non mi è piaciuta, ma al tempo stesso non so che cosa mi è successo. Non mi piaceva veramente; la vedevo com'era. E ciononostante in certo modo mi piaceva."
"Com'è questa signora Jodice?"
"Volgare."
"Dunque ti è piaciuta appunto perché è volgare. La trappola era la volgarità, non è così?"
Ho ammesso: "Sì, forse è così, ma non capisco perché."
"E che cosa è successo 'veramente' con questa donna volgare?"
Potevo raccontarle la storia dei lukumi? Ho deciso che potevo perché Jeanne ormai sapeva di certo che ciò che era successo aveva carattere di volgarità e a me non restava che confermarlo. "Aveva una scatola di quei dolci chiamati lukumi, sai, quei dolci orientali. È caduta per terra. Mi sono chinato a raccoglierli, ce n'erano dappertutto. Lei me li indicava via via col piede e per farlo si era tirata su un poco la tunica, lunga lunga, che indossava. Ad un tratto, mi ha chiesto di baciarle la gamba, prima sul polpaccio e poi più su. Non so perché, non so come, non ho saputo dirle di no. Mi ripeteva: 'più su, più su'; e io mi domandavo: perché lo faccio?; però lo facevo. Alla fine mi sono trovato con la bocca sul suo ventre e l'ho morsa, non molto, però. Ecco tutto."
"Ecco tutto, eh? Ne sei proprio sicuro?"

"Sì."

"Non siete usciti sulla terrazza? Diamine, la terrazza è importante in un attico, bisogna vederla."

"Sì, siamo usciti. Le ho mostrato il panorama di Roma."

"E basta?"

"Sì, non è successo altro."

"Via, che qualche altra cosa sarà pure successo. Eravate soli sulla terrazza; poco prima l'avevi addirittura addentata in una parte molto particolare del corpo. Possibile che vi siete limitati a guardare il panorama?"

Pareva davvero sapere tutto. Ho ammesso: "Qualche cosa è ancora successo, ma quasi niente. Preferisco non parlarne."

"Perché?"

Questa volta il mio silenzio aveva una giustificazione: l'elicottero. Parlare dell'elicottero voleva dire parlare del significato incestuoso del gioco erotico di Esmeralda; parlare del gioco voleva dire parlare di mia madre: "Perché, come ho detto, alla fine non è successo nulla."

C'è stato un lungo silenzio, poi lei ha riassunto: "La tua brutta storia è una storia normale, normalissima: il figliastro che fa l'amore con la matrigna."

"Non l'ho fatto veramente."

Ha detto tranquillamente: "L'avresti fatto se lei non fosse scappata."

Mi sono meravigliato: "Come fai a saperlo?"

"Alda era sulla terrazza e vi ha visti. Alda mi racconta sempre tutto, non lo sapevi?"

Così, ho pensato, Alda nonostante la sua promessa, aveva parlato alla madre. Sono rimasto zitto, irritato e mortificato, la testa bassa. Jeanne mi ha teso la mano e mi ha fatto di nuovo una carezza sulla guancia: "Via, via, non è nulla, proprio nulla; un'avventura un po' volgare, per giunta interrotta, come si dice, sul più bello. Dov'è la brutta storia?"

Mi sono ribellato, attaccandomi per una volta alla mia

segreta verità: "È brutto perché lei non fa che dirmi che potrei essere suo figlio."

"Si capisce, per lei è eccitante."

Mi colpiva il cinismo di Jeanne: non soltanto sapeva tutto ma, apparentemente, non si meravigliava di nulla.

"E poi perché non posso sopportare l'idea che, attraverso il rapporto con lei, mi metto in stato di inferiorità rispetto a qualcuno che considero inferiore a me."

"Chi è questa persona che consideri inferiore?"

"Mio padre."

"Bisogna pur sempre pagare un prezzo per il piacere, è normale, no?"

Non ho potuto fare a meno di esclamare: "A te non fa né caldo né freddo; questa è la verità!"

"Al contrario, mi interessa, se non altro perché quando parli di certe cose cambi espressione e mi piace guardarti."

"In che senso cambio espressione?"

Era una domanda dettata dalla vanità. Ma Jeanne l'ha presa sul serio. Mi ha guardato a lungo: "Te l'ho già detto, mi pare. I tuoi occhi di solito hanno uno sguardo triste. Ma quando parli di poesia o di amore, diventano più vivi, più belli."

"Ma dov'è l'amore qui?"

"Ah, questo lo sai tu; come posso saperlo io?"

Adesso tuttavia mi pareva di star meglio: inopinatamente cinica, Jeanne aveva, se non altro, dissipato il senso di vergogna che mi ispirava il ricordo del mio incontro con Esmeralda: "Così, tu pensi davvero che non è una brutta storia?"

Mi aspettavo di nuovo un'indulgenza materna ed esperta. Sono stato stupito vedendola invece scuotere la testa: "Piano, non ho mai detto questo. Sulla terrazza, di fronte al panorama di Roma, è un'avventura come un'altra. In casa di tuo padre, è una brutta, bruttissima storia."

Ho sentito di arrossire: "Ma se tu stessa mi hai detto che non c'era ragione che mi sentissi inferiore a lui?"

"Sì, ma fuori di casa sua."

"E perché fuori di casa sua no, e in casa sua, sì?"

"Perché sono cose che non si fanno, ecco tutto."

"Perché? Perché è la mia futura matrigna?"

"Oh, quanto a questo non ci darei nessuna importanza. Una donna prima di tutto è una donna, poi amante del padre, poi matrigna, poi qualsiasi altra cosa."

"Allora vieni a dire di nuovo che è soltanto un'avventura?"

"Ma vediamo, rifletti: la cosa che non si fa non è andare a letto con una donna che è l'amante di tuo padre e tua futura matrigna; ma nonostante questo rapporto continuare a vivere con lui, farti mantenere da lui. Lo sai che cosa dovevi fare subito dopo il vostro incontro nell'attico?"

Ho voluto anticipare la risposta implicita nella domanda: "Sì, lo so, fare la valigia e andarmene da casa."

"Lo vedi, anche tu ne sei cosciente. Perché allora non l'hai fatto?"

Non ho detto nulla. Lei ha proseguito: "Te lo dico io perché non l'hai fatto: per quella che tu chiami la tua disponibilità. Sei attirato proprio dalla bruttezza della storia, e questa è indubbiamente disponibilità della più bell'acqua. Se no, dimmi tu che cos'è?"

Di nuovo sono stato zitto. Lei ha ripreso con fermezza: "È assolutamente necessario che tu te ne vada. Non puoi restare un solo momento di più. Sai che figura faresti, restandoci? quella del maquereau, del mantenuto." E poi, dopo un momento, incalzante, pratica e di nuovo materna: "Senti, ti faccio una proposta. Quando mercoledì vieni a cena da noi, invece di portarmi un mazzo di fiori, porta la valigia con la tua roba. Abbiamo una camera in più. Potrai stare da noi almeno fino ad agosto, quando andremo in villeggiatura. Ma se vorrai, potrai restarci da solo anche tutta l'estate. Poi vedremo. Ti va?"

Com'era saggia e affettuosa Jeanne! ma, al tempo stesso, come era chiaro, secondo le parole di Alda, che "non pensava ad altro"! L'ho guardata, cercando, senza riuscirci, di separare in lei la parte disinteressata e materna da quella interessata e sentimentale. Poi le ho preso la mano e ho fatto per portarla alle labbra: "Grazie, non so davvero come ringraziarti."

Ha tirato giù la mano, ha detto con strenua lealtà: "Intendiamoci. Io ti invito a stare da noi per risolvere il tuo problema di alloggio. Quanto alle tue avventure, io non c'entro. Puoi continuare benissimo a vedere la tua futura matrigna a patto però che non sia né a casa mia né a casa di tuo padre."

Avrei voluto dirle con assoluta sincerità che non volevo più vedere Esmeralda né in casa di mio padre né fuori. Ma non sono riuscito che a ripetere, commosso e insieme prudente: "Grazie, grazie, a me importa soprattutto che tu mi abbia fatto quest'invito;" che non significava nulla, perché non dicevo, in fondo, quello che avrei fatto. Doveva però esserci nei miei occhi un'espressione sincera perché lei, per la terza volta, ha teso la mano e mi ha accarezzato la guancia dicendo: "Ecco, di nuovo hai degli occhi molto belli, e lo sai perché?"

"No."

"Perché non sai né mentire né dire la verità." Subito dopo si è levata in piedi e si è allontanata rapidamente.

CAPITOLO UNDICESIMO

IL MANGO

Sono rientrato a casa pensando che alla fine non dovevo precipitare nulla, né la ripetizione della scena degli amori di mia madre con Esmeralda, né l'accettazione dell'invito di Jeanne ad andare ad abitare a casa sua. Era sabato, mancavano un giorno alla ripetizione e tre all'invito, avevo così molto tempo davanti a me per riflettere, decidere. Ma riflettere su che cosa, decidere che cosa? In realtà, mi rendevo conto che a riflettere e a decidere, erano state finora Esmeralda e Jeanne. Io avevo forse riflettuto, ma senza esito; e infatti, non avevo ancora deciso nulla.

A ben guardare, non avevo alcun motivo di rimandare le due decisioni, salvo il desiderio di dimostrare a me stesso che sarei stato io a prenderle, non le due donne: tutto doveva essere, o almeno sembrare, razionale, così le decisioni come il rinvio di esse. Perché questo bisogno di razionalità? Non lo sapevo neppure io. Forse perché in certi momenti di estrema indecisione, la ragione, che di solito non è che un mezzo, può diventare un fine.

Tra questi pensieri sono arrivato a casa, sentendomi più calmo e più disteso, in quello stato di sollievo che è proprio del rinvio di un problema pressante. Adesso mi sarei disteso sul letto, avrei ripreso la lettura di un certo romanzo che avevo cominciato il giorno prima; oppure avrei fantasticato nella mia posizione preferita, disteso supino con la testa in basso e i piedi in alto. Fantasticare su che cosa? Forse sul fatto che la vita poteva aspettare.

Ho evitato il soggiorno, sono andato direttamente alla mia camera. Ma una volta nel corridoio ho sentito venire dal soggiorno un chiacchiericcio concitato: quello, come ho capito subito, della televisione accesa.

Ho pensato prima di tutto che c'era mio padre, ipotesi verosimile perché era sabato. Ma subito dopo, ho ricordato che la sera prima, lui si era lamentato di essere stato costretto a dare un appuntamento proprio quel pomeriggio, ad un cliente che doveva partire per Londra. Ricordavo pure la frase di mio padre su questo cliente: "È uno di quegli eterni indecisi che non sanno quello che vogliono. Questa volta viene con la moglie. Speriamo. Preferisco le donne agli uomini. Loro sì che lo sanno quello che vogliono." Improvvisamente, a questo ricordo, il chiacchiericcio della televisione mi è apparso inspiegabile e inquietante. Ho pensato a Oringia, ma l'ho subito scartata: aveva un piccolo apparecchio televisivo nella cucina, sulla tavola, e un altro, più grande, in camera da letto; non faceva che guardarli; non si vedeva perché avrebbe dovuto accendere quello del soggiorno.

Mi sono accorto che il cuore aveva preso a battermi in una maniera ansiosa e che il respiro mi mancava. In realtà, la voce dello speaker, l'avevo già sentita in quello stesso corridoio, resa indiretta e attutita dalla porta chiusa che si trovava dietro il divano del soggiorno. Ma quando? Non c'era dubbio: la notte che mio malgrado ero stato costretto a spiare mia madre. Il chiacchiericcio dello speaker così comune e così normale, mi turbava adesso perché collegato nel ricordo a qualche cosa di anormale e di eccezionale che mi aveva turbato allora.

In qualche modo, ho pensato ad un tratto, mi trovavo nella situazione incredibile e blandamente terrificante di chi si imbatte in un fantasma. Dove avevo letto di un pianoforte che risuona da solo senza che nessuna mano batta sui tasti, nel silenzio di una casa disabitata? Qui, era la televisione a chiacchierare da sola nel silenzio dell'appartamento, forse meno romantica ma più impressionante, com'è più impressionante la voce umana di qualsiasi altro suono che non si riesca a spiegare. Qualcuno aveva acceso la televisione, qualcuno stava guardandola. Ho teso la mano, ho afferrato la maniglia e l'ho spinta verso il basso. La porta si è aperta, mi sono affacciato.

Ho visto prima di tutto lo schermo acceso, con il grande prato del gioco del calcio attraversato dalla rincorsa di numerose figurette di giocatori. Non era la partita più importante, della domenica; era una delle tante partite giocate in quei giorni. Quindi, in un secondo momento, come se la partita me l'avesse suggerito, mi sono accorto che la televisione non vibrava da sola di luce intensa, nell'ombra del soggiorno. Qualcuno sedeva sul divano e la stava guardando.

Era Esmeralda, come ho capito dalla forma della capigliatura, ristretta e piatta in cima, gonfia e allargata a ventaglio sulle spalle. Esmeralda che la telefonata di poco fa aveva riempito di curiosità impaziente, al punto di farle anticipare di un giorno il nostro incontro. Esmeralda, pronta a recitare con me quello che lei stessa, con giusta intuizione, aveva chiamato il copione della ripetizione.

Questo pensiero ha fugato la paura, ma ha accresciuto il mio turbamento, facendomi precipitare nel noto sentimento misto di ripugnanza e di attrazione che pareva essere inevitabile nel rapporto con la mia futura matrigna. Ora però mi rendevo conto che la ripetizione degli amori di mia madre, in fondo era già cominciata nel momento stesso che avevo sentito dal corridoio il chiacchiericcio dello speaker della televisione. Con precauzione, ho spinto leggermente la porta, sono sgusciato senza rumore dietro il divano: lo schermo, così vivo, che vibrava della sua luce e si muoveva con le sue immagini formava un curioso, sinistro contrasto con la capigliatura scura immobile e come finta della spettatrice. Poi mi sono deciso; ho steso le braccia, ho portato le mani sugli occhi di Esmeralda e ho detto con voce bassissima: “Indovina chi sono?”

Esmeralda per un momento non ha risposto e allora ho provato un sentimento di paura come se al suo posto ci fosse stata un’altra persona. Poi, pur senza parlare, ha levato le mani a prendere le mie, le ha abbassate verso la propria bocca e le ha baciate, prima sul dorso e poi sulla palma. Quindi la ben nota voce dura e rauca ha detto: “Lo so chi sei. Sei il bambino che fa la sorpresa alla mamma.” Così, per parodia, la realtà del passato si ripeteva identica e pur tuttavia diversa, nel presente. Turbato a morte, ho fatto il giro del divano e ho detto con voce sommessa: “Perché sei venuta? Eravamo d’accordo che ci saremmo veduti domenica.”

“Mi sono detta: perché rimandare a domenica ciò che si può fare oggi? Così sono venuta, ed eccomi qui, Monsù De Sio, pronta a recitare il copione dell’amore e del tifo.”

Mi guardava di sotto in su, con aria di sfida. Impulsivamente, senza riflettere, sono andato alla televisione, l’ho spenta e ho detto seccamente: “No, oggi non è possibile, ho detto domenica e voglio che sia domenica.” Mi ha guardato con curiosità: “Ma la partita, c’è anche oggi.”

“Sì, c’è anche oggi, ma mio padre può capitare qui, da un momento all’altro.”

“Non verrà di certo. Mi ha telefonato che oggi aveva da fare con un cliente. Ad ogni modo, come vuoi: la partita andrà avanti per un bel po’. Andiamo a casa mia, anch’io ho la televisione. Siamo in tempo.”

“No, anche lì può capitare mio padre.”

“Ma se ti dico che ha da fare. Lo vedrò soltanto stasera, come al solito, a cena.”

Ormai mi pareva di avere rinviato definitivamente la ripetizione. Ho detto con fermezza: “No, oggi no, ci vediamo domenica a casa tua. Mio padre andrà certamente alla partita. E io non desidero che qualche cosa avvenga tra te e me prima di domenica.”

C’è stato un lungo silenzio, poi Esmeralda ha detto lentamente, come a sottolineare ogni parola: “Stai a sentire. Va bene domenica, se proprio ci tieni, benché non ne veda il perché. Ma prima voglio che tu mi dica una cosa.”

“Quale?”

“Qualche cosa c’è di certo sotto questa storia del tifo. Tu saresti così tifoso da voler guardare la partita persino mentre fai l’amore? Ma a chi vuoi darla a intendere?”

“Eppure è così.”

“Non è così. Va bene: rimandiamo pure; ma tu, prima di tutto, devi assicurarmi che tua madre non c’entra, hai capito?”

Ho balbettato, profondamente turbato dall’intuizione così inaspettata, che mi prendeva di contropiede: “Ma che dici?”

“Dico che già mi basta tuo padre con la sua mania della somiglianza. Adesso non vorrei che anche tu mi facessi recitare la parte della sosia di tua madre. Uno va bene. Due comincia davvero ad essere un po’ troppo.”

Non ho potuto fare a meno di esclamare: “Ma sei tu che mi chiami bambino, figlio mio e simili. Sei tu che vuoi recitare la parte della sosia.”

Ha ribattuto inflessibile, con improvvisa durezza: “Io voglio recitare, semmai, la parte di una donna che ‘potrebbe’ essere tua madre. È un gioco come un altro. Non mi dispiace l’idea che tu sei un ragazzino che potrebbe benissimo essere mio figlio: si sa, a noi donne mature piacciono i ragazzini. Ma il gioco si ferma qui. Assolutamente, non voglio recitare la parte di tua madre con la quale, per motivi che non voglio sapere, tu vorresti andare a letto. Noi due siamo una donna matura e un ragazzino, non siamo una madre e un figlio. Insomma, l’incesto mi fa orrore, capito?”

Non riuscivo a distinguere la differenza sottile tra fingere di essere una madre qualsiasi e fingere di essere una determinata madre. Tuttavia la durezza con la quale Esmeralda mi parlava stava ad indicare che la differenza, almeno per lei, esisteva. Ho detto: “Lo so che non sei mia madre.”

"Ma neppure la sosia. E invece tu vuoi che recito la parte della sosia, lo capirebbe anche un cieco. Ma si può sapere perché ci tieni tanto?"

"Io non ci tengo affatto."

"Dai, che come tuo padre hai bisogno di illuderti che tua madre ed io siamo la stessa persona. Da parte sua è comprensibile, dopotutto. L'amava tanto, la vede un po' in tutte le donne. Ma te, invece, proprio non ti capisco."

Mi rendevo conto che era sincera e che diceva la pura verità: non mi capiva. Ma non ho avuto il coraggio né di accettare questa verità né di rifiutarla. Le guardavo la bocca, grande, sinuosa, carnosa, velata da una peluria scura, che pareva gettare sul rosso delle labbra la stessa ombra lusinghiera che, talvolta, vela il rossore analogo del sesso femminile nascosto tra altra e più fitta peluria; ricordavo come si era accoccolata ai miei piedi sulla terrazza dell'attico, mettendo il viso all'altezza del mio ventre; e, al pensiero che, se non ci fosse stata Alda, quella stessa bocca che adesso mi parlava così dura e aggressiva, mi avrebbe invece accolto con dolcezza; a questo pensiero che era piuttosto desiderio espresso in pensiero che pensiero suscitato dal desiderio, mi sentivo tutto smarrito e pronto a fare la sua volontà, qualunque essa fosse.

Ha proseguito, pur sempre con la stessa durezza: "Allora di' la verità una buona volta: la partita di calcio, l'amore durante la partita, tua madre, la sua somiglianza con me, il fatto che tuo padre ed io siamo amanti, l'altro fatto che ci sposiamo e io, per così dire, divento tua madre, queste sono tutte cose collegate l'una all'altra. È come nei puzzle, con i pezzetti a incastro che, a ricomporli, formano una scena completa. La scena c'è, ma io non riesco a far combinare i pezzi e a formarla, so soltanto di certo che c'è. E allora, sai cosa ti dico: se vuoi giocare, sia pure al gioco della madre e del figlio, ci sto. Ma se devo fare la sosia di tua madre, non ci sto, proprio per niente. Voglio divertirmi, questo sì: ma voglio essere io e non un'altra. Capito?"

Non ho detto nulla: continuavo a guardarle la bocca così simile ad un sesso e per me parlava il turbamento che traspariva nel disordine della mia persona. Lei doveva essersene già accorta, perché mi ha lanciato ad un tratto uno sguardo acuto, non al viso ma al mezzo del corpo, e poi ha detto improvvisamente: "Vieni qui." Ha parlato con lo stesso tono autoritario e imperioso con il quale, nell'anticamera dell'attico, mi aveva ingiunto ripetutamente: "più su"; e io, come nell'anticamera, ho ubbidito, e mi sono avvicinato prima di un passo e poi di un altro, venendomi a mettere ritto davanti a lei, con il ventre leggermente proteso in fuori. Lei ha steso la grande mano nodosa e ingioiellata e mi ha ghermito con improvvisa violenza, parlando con una voce strana, non la sua solita, ma, si sarebbe detto, quella del personaggio materno che d'istinto, non poteva fare a meno di recitare: "Bambino mio, perché non ti calmi? Ma si può sapere che hai? Perché mi stai davanti e quasi mi caschi addosso? Forse hai paura che non ti veda? Ti vedo, non temere; la tua mamma ti vede e ti dice: calmati. Hai capito? La tua mamma ti dice di calmarti. Hai capito?"

Ripeteva l'invito alla calma, si sarebbe detto più a se stessa che a me. Intanto, come cedendo ad una tentazione irresistibile, ora mi ghermiva, ora mi lasciava andare e ora tornava a ghermirmi. Quindi, improvvisamente, con spinta potente, si è levata di scatto dal divano: "Ci comportiamo come due ragazzini che non sono capaci di aspettare e vogliono tutto e subito. Ma qui è pericoloso, lui potrebbe davvero venire ad ogni momento. Andiamo a casa mia."

Impetuosamente si è mossa attraverso il soggiorno e io l'ho seguita, docile e soggiogato. Nell'ascensore mi ha ancora detto: "Ce la fai ad arrivare fino a casa?" e mi ha ghermito di nuovo mostrando così ancora una volta la propria impazienza. Ma giunti in strada si è diretta con la solita lentezza maestosa verso la sua piccola macchina blu, tutta brillante di nichelature forbite, parcheggiata sul lungotevere. Siamo saliti e lei ha preso a guidare con compostezza perfino eccessiva, ritta e impettita, come pervasa da una tensione possessiva, quasi che mi avesse rapito contro la mia volontà, per portarmi in un luogo di sequestro e di violenza. Ad un tratto senza voltarsi, ha detto tra i denti: "Parlami di tua madre."

Così, il puzzle della scena d'amore che aveva intravisto nella mia condotta verso di lei, continuava ad assillarla. Ho protestato: "Non ho nulla da dire su mia madre. Avevo sette anni quando è morta."

"Dai, sono sicura che la ricordi benissimo. A sette anni, un bambino vede tutto, capisce tutto."

"Si vede che ero un bambino stupido perché non ho visto nulla e non ho capito nulla."

"Ad ogni modo, secondo te, in che cosa rassomiglio a tua madre?" Senza pensarci, involontariamente, ho risposto: "Avete un po' lo stesso sguardo, ma soprattutto la stessa bocca."

Ora non era vero. Il desiderio che mi aveva ispirato un istante prima l'ombra della peluria sul rossore sessuale della sua bocca, mi faceva adesso dimenticare che, in realtà, la sola vera somiglianza stava nella particolare espressione degli occhi. L'ho vista leccarsi le labbra, come per riconoscerne la forma: "Come era la sua bocca?"

"Come la tua."

"Nelle fotografie che ha tuo padre, non si direbbe. Aveva la bocca piccola, un po' da bambola. Io ce l'ho grande, un forno."

Ho guardato alla bocca di lei e ho riconosciuto: "Sì, è vero, ma c'è egualmente qualcosa di simile."

"Che cos'è?"

"Non lo so. So soltanto che mi fai pensare a lei."

"Insomma, si può sapere o non si può sapere com'era, secondo te?"

"Era molto bella."

"La bellezza del somaro, eh?"

A che cosa mirava Esmeralda con me? In fondo, proprio

a quello che neppure tanto inconsciamente mi aspettavo da lei: sostituire l'immagine di mia madre con la sua e, insieme, distruggerne il ricordo. Ho detto con improvvisa commozione: "Se vuoi, la bellezza, come dici, del somaro, ma nel senso di amare la vita, con completa illusione, in maniera innocente e ingenua, come l'amano gli animali."

Non ha detto nulla e ha guidato per un poco come intenta nella sua riflessione. Quindi, ha pronunziato bruscamente: "Scommetto che hai con te una sua fotografia. Fammela vedere."

"Non ho fotografie."

"Dai, sei innamorato di lei, e non hai fotografie! Dai, tirala fuori."

Esitavo, pieno di ripugnanza per quello che mi pareva una profanazione. Pur guidando, Esmeralda ha teso la mano verso il rigonfio del portafoglio, nella tasca dei miei blue jeans e ha tentato di tirarlo fuori senza riuscirci: "Dai, non fare l'imbecille, tira fuori la fotografia, e falla finita."

Come suonava affettuoso l'insulto sulle sue labbra! Ho tirato fuori dalla tasca il portafoglio e dal portafoglio, estraendola con delicatezza tra due dita, la fotografia tremolante e semicancellata. Esmeralda l'ha presa senza voltarsi, continuando a guidare e l'ha guardata: "Non si capisce più nulla. È tutta consumata. Cosa vuoi farne di questa porcheria? Perché non ti decidi a buttarla?"

Questa volta non ho esitato. Il movimento irresistibile che mi portava alla ripetizione con Esmeralda, della scena degli amori di mia madre, voleva adesso la distruzione di quel misero quadratino di carta tutto consunto e striato, dal quale, però, mi guardavano ancora gli stessi occhi che mi avevano guardato "allora". Ho detto rapidamente: "Hai ragione, buttala!" Esmeralda ha subito messo la mano fuori dal finestrino e ha aperto le due dita che stringevano la fotografia: "Ecco fatto." Ho visto la fotografia volteggiare un momento nel vento della corsa, e poi scomparire. Esmeralda ha detto a voce bassa: "Adesso, dammi un bacio."

Mi sono sporto, le ho baciato l'angolo delle labbra, non sapevo se con oscura gratitudine o con volontaria ubbidienza. Lei ha reso il bacio tirando fuori di traverso la lingua, poi ha annunziato: "Ecco, siamo arrivati."

Infatti, eravamo proprio arrivati. Esmeralda ha fatto svoltare la macchina dalla larga strada in salita che stavamo percorrendo in una traversa minore, fiancheggiata da ambo le parti da cancellate folte di rampicanti. La strada appariva chiusa in fondo da un muro traboccante di edera. Esmeralda ha spiegato: "È una strada privata. Ci sono molti studi di pittori."

Ci siamo fermati di fronte a un portoncino di ferro mezzo nascosto dall'edera. Esmeralda l'ha aperto e mi ha preceduto, lenta e solenne, per un sentiero come di campagna, stretto tra gli alberi e gli arbusti di un folto giardino. Mi ha chiesto improvvisamente, senza voltarsi: "Ti piacciono i frutti tropicali?"

"Dipende da quali?"

"Manghi, papaie, kiwi e simili."

"Sì, ma perché me lo domandi?"

"A me piacciono molto. Ne ho comprato oggi una quantità."

Abbiamo camminato ancora per un poco; poi il sentiero è sbucato in uno spiazzo ghiaiato; ci siamo trovati di fronte ad una costruzione dall'aria rustica, di un piano solo, con le pareti rosse e il tetto spiovente di tegole grezze. Esmeralda ha aperto la porta e mi ha preceduto spiegandomi con un gesto compiaciuto: "Ecco il mio studio. Ci sono molte piante, troppe forse. Ma ho voluto crearmi un piccolo paradiso terrestre privato. E così ci ho messo soprattutto le piante dei tropici, sono quelle che fanno più pensare all'Eden, con le loro foglione e i loro fiori vistosi."

Ho guardato. Lo studio era molto grande e fatto come una mansarda, col soffitto obliquo di grosse travi nere, una parete più alta, in fondo, lungo la quale correva un ballatoio, e una parete meno alta sul davanti, occupata quasi per intero da un finestrone. Le piante tropicali, di cui aveva parlato Esmeralda, erano dappertutto: le più piccole in vasi e vasetti su mensole sovrapposte; le più grandi in cassette di terracotta o di cemento affollate negli angoli. C'era un monumentale camino di pietra, e intorno, alla rinfusa, seggioloni, poltrone, un divano. Esmeralda mi ha indicato l'apparecchio della televisione che si affacciava col suo schermo tra due piante esuberanti: "Come vedi anche io ho la televisione," e poi voltandosi: "E ho il divano. Adesso ti accendo lo schermo e troviamo la partita."

Ha preso il telecomando, ha premuto varie volte il bottone, lo schermo si è illuminato e, dopo alcune immagini, ecco, è apparso il prato verde del gioco del calcio e i giocatori che rincorrevano il pallone: "Va bene così?"

"Sì."

"Il divano c'è, la televisione c'è, la partita c'è. Che altro vuole il mio bambino?"

Ho risposto con voce molto bassa: "Il buio."

"Ah, certo, il buio, anch'io ho bisogno del buio, molto più di te. Al buio non si vedono le rughe, come no!"

Sardonica e rituale, è andata al finestrone e ha tirato le tende foderate e molto pesanti: lo studio è piombato in una rada oscurità dalla quale la luce vibrante dello schermo della televisione faceva emergere qua e là le ombre bizzarre delle piante tropicali. Ha ripreso, ritta nel mezzo dello studio: "Mi pare che così vada proprio bene. Io vado su a fare un po' di toletta. Intanto mangia la frutta. Ti consiglio il mango, è squisito. Ecco un piatto, ecco le posate ed ecco il mango."

Un vassoio pieno di frutta stava su un tavolino basso che la luce dello schermo illuminava vividamente. Ha scelto il mango, me l'ha posato su un piatto, ha messo un coltello e una forchetta accanto al piatto, si è chinata a dardeggiarmi rapidamente la lingua nella bocca, quindi si è allontanata verso il fondo dello studio. L'ho intravista a scendere con calma una scala di legno che saliva in diagonale verso il ballatoio. Si è ancora raccomandata da lontano con sarcastica allusione biblica: “Mangia pure il frutto proibito senza rimorsi; è maturo e non ti farà male;” poi ho sentito il rumore dei suoi passi sul ballatoio, seguito da quello di una porta chiusa con dolcezza. Allora ho guardato lo schermo.

La partita si svolgeva regolarmente; una delle tante, come ho pensato, che si giocavano in Italia in quei giorni. Eppure per me era una partita speciale, come era stata speciale quella alla quale mia madre mi aveva costretto ad assistere tanti anni fa. E allora, con la logica sotterranea ed esplosiva delle preoccupazioni inconsce, ecco ha balenato nella mia mente questo preciso pensiero: “E se la ripetizione non funzionasse? Se d'ora in poi non potrò far l'amore che assistendo ad una partita di calcio?” Era un pensiero o meglio un'immagine che ho giudicato subito comica. Ma di una comicità penosa, sgradevole, che conteneva qualche cosa di simile alla paura.

Ho abbassato gli occhi verso il tavolino sul quale troneggiava il vassoio colmo di una piramide di frutta tropicale. Allora, come destata dalla vista di quei frutti succosi ho avvertito in bocca la sete arida del desiderio inappagato, a cui la lingua di Esmeralda, nel suo guizzo fugace, aveva aggiunto non so che sapore di maturità. Sul piatto, davanti a me, il mango era tentante con i suoi bei colori sfumati dal verde al rosso; ho preso il coltello e la forchetta e ho cominciato a tagliarlo. Pensavo di staccarne una fetta consistente e di succhiarla. Sapevo che il mango si mangiava così.

Ma era più che maturo, il mango. Come ho addentato la fetta, la polpa si è disfatta sotto i miei denti e il succo denso e acidulo mi è colato sugli angoli della bocca e sul mento. Ho raschiato la polpa fino alla buccia, quindi ho cercato un tovagliolo per pulirmi; non c'era. Allora ho tratto fuori dal taschino il fazzoletto, mi sono asciugato con cura, poi ho esitato: il fazzoletto era intriso di succo; ho pensato che non potevo rimetterlo in tasca senza macchiarmi la giacca; l'ho posato appallottolato com'era accanto al piatto.

In quello stesso momento, una porta si è aperta lassù, nella penombra che avvolgeva il ballatoio, e la voce di Esmeralda ha gridato: "Che fa il mio bambino? Guarda la partita? Era buono il mango? Ancora un momento e vengo subito." Ho alzato gli occhi e ho visto, o almeno ho creduto di vedere, lassù, bianco nell'ombra, il corpo di lei, membruto e completamente nudo e, tra una colonnina e l'altra della balaustra, il triangolo tenebroso del ventre che mio padre voleva nero come quello di mia madre. È stato un attimo, ma in quell'attimo ho provato orrore del desiderio che le parole di Esmeralda e la vista del suo corpo mi avevano immediatamente ispirato. Questa volta, parole e vista avevano agito in maniera diretta e impetuosa. L'ho capito dall'assenza della solita ripugnanza e dall'impennata improvvisa del desiderio. Sì, non c'era dubbio, questo era ormai l'amore per me, una finzione meccanica e rituale senza la quale non avrei provato che impotente estraneità, come avevo constatato nel mio rapporto con Jeanne, pur tanto più desiderabile di Esmeralda. Questo era l'amore; e in luogo della liberazione, mi si prospettava una ripetizione viziosa e senza fine della recita incestuosa ormai legata, in maniera indissolubile, ad alcuni particolari coatti e ridicoli, come la partita di calcio sullo schermo della televisione, l'amore sul divano con la donna a cavalcioni, la parola bambino, e, senza dubbio, tutti gli altri perfezionamenti dei quali avrei arricchito, via via, le successive edizioni.

Ma oltre a questa visione in prospettiva della mia futura servitù, un altro sentimento ha contribuito a farmi prendere una decisione improvvisa, opposta a quella a cui mi sentivo portato con tanta naturalezza: un senso di compassione per mio padre, mai provato prima di adesso e ispirato, come ho capito, proprio dal suo grande amore per mia madre e, subordinatamente, per Esmeralda che tanto le rassomigliava.

Quest'amore istrionesco e straziante, così importante per lui, era una costruzione complicata e probabilmente, a modo suo, vitale. Ma io mi servivo cinicamente, con piena consapevolezza della donna che lui amava per mettere in atto un esperimento che sentivo fallito in partenza prima ancora di intraprenderlo.

Spinto da un impulso irresistibile, mi sono alzato in fretta e sono andato verso la porta dello studio. Sul punto di uscire, ho guardato per l'ultima volta lo schermo della televisione. La partita non c'era più; una trasmissione ecologica l'aveva sostituita. Tra un folto fogliame tropicale, molto simile a quello delle piante di Esmeralda, la testa piatta e triangolare di un grosso serpente screziato di verde e di giallo si profilava, scivolando cauta. Ho ricordato l'allusione biblica di Esmeralda al frutto proibito e ho pensato con sollievo e quasi con buon umore che, almeno questa volta, l'antico insidioso tentatore non era riuscito a farsi ascoltare.

CAPITOLO DODICESIMO

IL SUCCO DEL MANGO

Sono a Parigi, nella mia stanza, in casa di mio zio, rue du Chèrche-Midi. Sto leggendo un libro, naturalmente le poesie di Apollinaire, il poeta che prima di me e per me ha scritto le poesie che avrei voluto scrivere io. Il libro è posato aperto sulla piccola scrivania alla quale sto seduto, la mia posizione preferita per leggere. Alla mia destra ho una grande finestra e, se appena giro un poco la testa, posso vedere il giardino, giù nel cortile, e, intorno, le facciate bianche e regolari dell'antico palazzo dell'epoca Impero. In quel momento ho appena finito di leggere alcuni versi che a me sembrano avere un rapporto con la mia vita che chissà perché sento immobile e priva di avvenire:

Venga la notte, suoni l'ora
I giorni passano e io dimoro.

Adesso mi volto, e guardo nel cortile. Ho un motivo preciso per guardare: ogni giorno alla stessa ora, un vecchio signore, molto vecchio ma dritto e robusto, vestito correttamente di scuro come un notaio di provincia, esce da un portoncino che sta dall'altra parte del cortile, scende tre o quattro scalini sotto l'antiquata pensilina di ferro e di vetro, va a staccare dal muro una pompa e, metodicamente, ne dirige lo zampillo sulle aiuole del giardino, procedendo a piccoli passi lungo i magnifici cespugli di ortensie e di roseti in fiore. Dopo aver ben bene annaffiato, arrotola di nuovo la pompa, la riappende al muro, prende un rastrello e, a lungo, lo passa e lo ripassa sulla ghiaia del viale. Poi rimette il rastrello nel suo angolo, si arma di cesoie, e taglia e pareggia per un bel po' i cespugli di bosso. Il giardino mostra chiaramente di prosperare grazie a queste cure minuziose. L'erba delle aiuole è di un verde smeraldino; le piante sono cariche di fiori; le pareti del cortile sono in gran parte ammantate del fogliame di una gigantesca vite americana; un albero fronzuto sorge nel mezzo del giardino e stende i rami sulla testa calva del vecchio signore la quale appare e dispare durante i suoi laboriosi andirivieni.

Guardo spesso a questo anziano e un po' maniaco giardiniere e non posso fare a meno di ricordare ogni volta, altra citazione letteraria, la frase con la quale si conclude il *Candido* di Voltaire: "Bisogna coltivare il nostro giardino."

Ancora un ammonimento ad agire, in questa frase, come nei versi di Apollinaire! In questi ultimi è nella vita che dovrei agire; nella frase di Voltaire, nella letteratura. A causa della sua passione per il giardinaggio, ho appioppato al vecchio signore il soprannome appunto di "Monsieur Voltaire". "Ecco Monsieur Voltaire che coltiva il suo giardino," penso ogni volta che lo vedo, "ecco che coglie i fiori per farne un mazzo." C'è dell'ironia in questi pensieri; ma forse, chissà, anche un po' di ammirazione.

Ma adesso, nel mio sogno (poiché sto sognando), Monsieur Voltaire non si vede. Tuttavia sono consapevole di aspettare non so quale apparizione, la sua o di qualcun altro. Infatti ora leggo e ora guardo alla finestra. Forse guardo più spesso che leggo.

Ecco, infatti, apparire, invece di Monsieur Voltaire, tre donne in atto di incedere lentamente, le spalle rivolte verso di me. Riconosco subito Alda, mia madre e Esmeralda, sia per il modo di vestire, sia per l'aspetto fisico, caratteristico, come mi rendo conto immediatamente, di tre età successive: l'adolescenza, la giovinezza, la maturità. Alda, con la sua maglietta succinta e i suoi blue jeans corti e striminziti mi ricorda ancora una volta il saltellare malsicuro di un puledro o di un vitello appena nato; mia madre con la camicetta aperta sulla spalla nuda e la minigonna che le copre appena il sedere, dimena, provocante, i fianchi; infine Esmeralda incede ieratica, stampando ad ogni passo le forme oblunghe delle natiche nella tunica lunga fino ai piedi.

Mi dico, guardando, che sono manifestamente la stessa persona in tre età diverse e mi accorgo che questo pensiero è dettato dallo stessissimo inconfessabile desiderio che tutte e tre mi ispirano mentre camminano. Sì, mi attraggono egualmente il saltellare dinoccolato di Alda, lo sculettamento sfrontato di mia madre, l'ancheggiamento pesante di Esmeralda.

Le tre donne camminano piano, come passeggiando, tenendosi per mano eppure, curiosamente, sembrano estranee l'una all'altra. Questa vicendevole estraneità è sottolineata dal fatto che non soltanto non si parlano ma neppure si guardano: Esmeralda rivolge gli occhi verso terra, come chi teme di inciampare; Alda, verso il cielo, su su, al di sopra del cortile; mia madre, più sorprendente, ecco si volta e, sfacciatamente, mi strizza l'occhio. Penso, a questo punto, di aprire la finestra e di chiamarle; mi alzo, cerco di spalancare le imposte, ma la maniglia non gira, non ci riesco. Intanto, con mio amaro rammarico, le tre donne salgono lentamente gli scalini sotto la pensilina, scompaiono dentro il portoncino, non senza che mia madre, sola delle tre, si volti di nuovo e mi lanci un'occhiata d'intesa. Intanto, qualcuno mi preme la mano sulla spalla e io cerco di liberarmi da questo contatto insistente che sento connesso in maniera oscura con la mia impossibilità di aprire la finestra. Così vado avanti per un poco, tentando nello stesso tempo di disserrare le imposte e di scrollare da me la mano che mi preme sulla spalla. Finalmente, inviperito, mi volto e allora mi sveglio.

La prima cosa di cui mi sono accorto è stato che la camera era invasa dalla luce abbagliante del sole della mattina inoltrata. Ora, però, ricordavo con sicurezza che dopo la fuga dallo studio di Esmeralda non ero rientrato a casa se non a tarda notte e che prima di coricarmi avevo avuto cura di chiudere le imposte: sono abituato a dormire al buio e, per maggiore sicurezza, mi metto sugli occhi un fazzoletto ben stretto. Dove ero stato dopo la fuga? Poco desideroso di rivedere mio padre, prima di tutto mi ero ficcato in un cinema e avevo visto per intero il film del giorno, poi avevo mangiato qualche cosa in piedi in un bar, alfine avevo camminato a lungo, così a lungo che di strada in strada ero arrivato a piazza San Pietro, di fronte alla basilica, mai vista finora salvo che dal belvedere di Villa Balestra. Era ingombra di enormi autobus turistici, la piazza, con tante persone che giravano tra i colonnati, salivano la scalinata, si spargevano intorno le fontane. Allora, ad un tratto, avevo avuto un'idea bizzarra: imbrancarmi in un gruppo di turisti, confondermi con loro per la visita della piazza, e alla fine, senza farmi osservare dagli autisti, salire anch'io su uno di quegli autobus giganteschi e fare con tutti gli altri il rituale giro di Roma "by night". Avevo evitato di mescolarmi a un primo gruppo più numeroso; erano giapponesi e tra essi sarei stato facilmente notato; poi avevo sentito parlare francese e avevo parlato a mia volta in questa lingua ad una signora di mezza età, occhialuta e benevola; eccomi dunque, ad un tratto, seduto in fondo all'autobus tra la signora e la figlia dodicenne. Non mi era riuscito di capire se avevano capito che ero salito abusivamente sull'autobus. Certo mi avevano fatto posto con grande sollecitudine e cordialità; e così ero partito alla scoperta della famosa città in cui ero vissuto finora senza mai uscire dal quartiere dei Parioli e dintorni.

L'autobus era così alto che mi ero trovato seduto quasi al livello dei primi piani dei palazzi. Ma stando nel centro del sedile di fondo, tra la signora e la figlia, avevo visto ben poco e quel poco assai confusamente, anche a causa della mia ignoranza della topografia della città. Ogni tanto, però, dopo corse impetuose e rombanti per strade strette, tortuose e oscure, l'autobus si era fermato e allora tutto il gruppo era disceso e si era diretto, incolonnato e ubbidiente dietro la guida, ad ammirare la scalinata di una grande chiesa barocca, oppure la vasca traboccante d'acqua di un'antica fontana oppure ancora un alto, aguzzo obelisco. A mia volta, ero disceso; i due autisti distratti oppure stanchi non mi avevano notato; mi ero sforzato tutto il tempo di chiacchierare con la signora e sua figlia che erano di La Baule, luogo marino che, per fortuna, conoscevo per esserci andato spesso, d'estate, a fare i bagni; e perfino, nel mio zelo di sonnambulo, avevo illustrato loro, alla meglio, i monumenti che via via avevamo visitato, di cui non sapevo nulla e che, come loro, vedevo per la prima volta.

Intanto, però, la mia mente non aveva cessato di riandare allo studio in penombra di Esmeralda, a lei bianca e nuda in cima al ballatoio e allora, aveva potuto anche accadermi di rimpiangere di essere fuggito. Ma mi ero subito accorto che il mio rimpianto era superficiale. Una forza irresistibile, oscura, inspiegabile mi aveva fatto fuggire dallo studio e tuttora, come avevo capito, mi dominava. In realtà, non avevo girato per Roma per visitarne i monumenti; avevo continuato, invece, a fuggire da Esmeralda. Tuttavia, avevo egualmente cercato di controllare la mia fuga. Volevo fare tardi per non avere a imbattermi in mio padre; ma non troppo tardi. Oltre tutto, ero stanchissimo, ero in giro dalla mattina e tutti gli avvenimenti di quella lunga, straordinaria giornata cominciata nell'attico di via Ammannati, mi si confondevano nella memoria con quella specie di stupore ottuso e inebriato che di solito prelude al sonno. E difatti, ad un certo punto mi ero addormentato e avevo dormito per un poco, quasi cullato dai poderosi sobbalzi, dalle brusche frenate e dalle circospette manovre dell'autobus. Poi, ad un grido di gioia da parte della figlia della signora di La Baule: "Il Colosseo! il Colosseo!", mi ero bruscamente svegliato, mi ero meccanicamente alzato dal sedile, mi ero incolonnato una volta di più nel gruppo dei turisti, ero disceso dall'autobus. Nella chiara notte estiva, il famoso monumento mi aveva fatto l'impressione di un teschio gigantesco e spolpato incombente sopra di me con le cieche occhiaie tenebrose dei suoi archi e delle sue volte. I turisti si erano sparsi per il piazzale; avevo calcolato il tempo e mi era sembrato che ormai avrei potuto tornare a casa senza timore di incontrarvi mio padre; allora mi ero staccato dal gruppo assorto ad ascoltare le spiegazioni della guida, mi ero allontanato, dirigendomi d'istinto verso il centro della città. Da piazza Venezia, sempre camminando di buon passo, avevo raggiunto il Tevere, e poi avevo proseguito la mia passeggiata notturna, lungo i parapetti, sotto i platani, di ponte in ponte, finché non ero arrivato al noto semaforo sul lungotevere, con le solite macchine che aspettavano, frementi, il segnale verde di via libera. Ero così stanco che ero riuscito soltanto a buttarmi sul letto, senza svestirmi; ma verso l'alba mi ero svegliato, mi ero spogliato e avevo dormito profondamente fino al sogno che mi aveva fatto vedere Esmeralda, mia madre e Alda assurdamente riunite nel cortile della casa di mio zio, a Parigi.

Adesso, come ho detto, sedevo sul letto, abbagliato dal sole rutilante e ardente della mattina di giugno, e mi rendevo conto che la mano che mi aveva destato, scuotendomi per la spalla, era quella di mio padre, il quale evidentemente impaziente di parlarmi, era entrato nella mia camera, aveva spalancato le finestre e adesso mi sedeva di fronte, sulla sponda del letto. Ma parlarmi di che? Ho subito pensato: "Naturalmente ha scoperto, chissà come, che ieri sono andato da Esmeralda, sa tutto e ora debbo prepararmi ad una scena oltremodo sgradevole." Mi sono accorto di provare un senso di colpa e al tempo stesso un'irritazione forte per il fatto di provarlo. Dov'era, insomma, la colpa? Non avevo ripetuto la scena traumatica di quindici anni prima ed ero fuggito; non avevo in fondo nulla da nascondergli. Per guadagnare tempo, ho finto stupore: "Papà, che c'è?"

Stava seduto, come ho detto, sulla sponda del letto, girato verso di me in una posizione scomoda, come ancora proteso a scuotermi per la spalla; mi guardava fissamente, come chi ha in mente qualche cosa di importante ma non trova le parole per comunicarlo. Finalmente è esploso: "C'è che debbo parlarti."

"Parlare a me?"

"Sì, a te, Mario, non però come da padre a figlio, ma..."

Non so perché l'ho interrotto con improvvisa insofferenza: "Ma come da uomo a uomo, non è così?"

È rimasto sconcertato, sentendosi rimandare, con ironica aggressività, il proprio luogo comune: "Sì, Mario, in qualche modo non potresti dir meglio. La cosa di cui voglio parlarti è proprio di quelle che si possono dire soltanto da uomo a uomo."

Il suo atteggiamento imbarazzato, mi ha fatto capire che non avevo nulla da temere: non sapeva nulla e chissà che cosa l'aveva spinto ad un gesto così singolare, davvero da uomo a uomo, come quello di venire in camera mia a svegliarmi. Sollevato, l'ho guardato con improvvisa curiosità: come funzionava quella mente così diversa della mia? Che cosa si nascondeva veramente dietro quella maschera molieresca del genere di Sganarello, dalla fronte aggrottata, dagli occhi sbarrati, dalla grande bocca serpeggiante? Non so perché, ho ricordato ad un tratto il mio sogno e, nel sogno, il particolare di mia madre che, avviandosi insieme con Alda e Esmeralda verso il portoncino sotto la pensilina, si era voltata e, monellescamente provocante, mi aveva strizzato l'occhio. Ho detto quasi senza riflettere, trasportato da non so quale rancore: "Se hai intenzione di parlarmi della mamma, secondo il tuo solito, da uomo a uomo, cioè calunniandola, ti avverto che non lo sopporterò, anche perché, proprio grazie alle tue confidenze, mi sono fatto di lei un'idea completamente diversa della tua. Tu ne fai un mostro di duplicità, di infedeltà e di egoismo. Per me era invece semplicemente una incantevole bambina, piena di inespressa gioia di vivere, il cui carattere principale, qualsiasi cosa facesse, era l'innocenza. Sì, magari l'innocenza di un animale che non sa cosa sia il bene e il male, ma pur sempre innocenza."

Avevo parlato con foga; e mi sono subito pentito: il viso di mio padre esprimeva uno stupore addolorato come di chi si sente rimproverare con ingiusta asprezza qualche cosa che non ha fatto e che non ha avuto intenzione di fare. Ha balbettato: "Ma, Mario, che c'entra tua madre?"

Mi sono confuso: "Scusami, queste cose, un giorno o l'altro, dovevo pure dirtele. Ma si può sapere che hai? Che cosa ti è successo? Qualche cosa che non va all'agenzia?"

Non mi ha risposto. L'ho visto scuotere il capo senza parlare. Allora, con stupore, ho notato che le sue grandi pupille nere e sfatte, avevano lo sguardo come deviato da un velo liquido. E finalmente ho capito: mio padre piangeva! Le lacrime che gli riempivano gli occhi, esitavano sull'orlo delle ciglia; poi ha scosso il capo; le lacrime sono traboccate sulle guance. Ha balbettato: "No, Mario, non è nell'agenzia che è successo qualche cosa. Ma nella mia vita." Quindi, con improvviso impulso teatrale, si è abbattuto sul letto, la testa contro le mie ginocchia.

Ora io avevo dormito, come ero solito, del tutto nudo. Ma nel momento stesso che mi ero destato e avevo scoperto la presenza sorprendente di mio padre, avevo tirato in fretta il lenzuolo sul petto lasciando scoperte le gambe. Così, adesso, avevo la fronte di mio padre premuta contro le ginocchia, contatto assai sgradevole vista la ripugnanza fisica che avevo sempre provato per lui. Ho guardato con ribrezzo alla grossa testa dai folti capelli grigi, ben tagliati e ben pettinati e ho detto meccanicamente: "Papà, che hai? Su, cerca di tirarti su," frase ambigua con la quale forse più che di "tirarsi su" moralmente, cercavo di suggerirgli di tirarsi su fisicamente e così interrompere la pressione della sua fronte contro le mie ginocchia.

Ha scosso negativamente la testa, l'ho sentito bofonchiare: "No, non posso tirarmi su," o qualcosa di simile; e allora ho provato di nuovo curiosità per quello che lui stava pensando, o meglio premeditando, e la curiosità mi ha fatto rischiare il gesto di compassione che finora non mi ero sentito di fare: ho steso la mano e ho scosso dolcemente la sua spalla: "Su, non fare così, che ti succede?"

Subito, allo sfioramento delle mie dita, si è levato di scatto e mi ha mostrato il volto rosso e tutto impiastricciato di pianto: "Mario, tu sei mio figlio e proprio perché sei mio figlio, non posso nasconderti quello che è successo. Ma al tempo stesso sei un uomo e puoi capire, valutare certe cose. Ebbene, Mario ti avevo detto che la cliente a cui hai fatto visitare l'attico di via Ammannati era la mia compagna e ben presto sarebbe diventata mia moglie e di conseguenza, tua matrigna. Ora Mario, sappi che tutto questo non è stato che un sogno, un bellissimo sogno. Mario, dimentica Esmeralda! Fai come se non l'avessi mai incontrata! Come se non te ne avessi mai parlato!"

Così, era vero. Si trattava pur sempre, come avevo temuto, di Esmeralda; ma non dell'Esmeralda che il giorno prima mi aveva portato nel suo studio; ma di un'altra Esmeralda che, a quanto pare, non aveva nulla a che fare con me. Adesso ero davvero incuriosito, freddamente e ironicamente, come un completo estraneo. Ho finto uno stupore solidale: "Ma che ti ha fatto Esmeralda di tanto brutto?"

Mi ha fissato con occhi sbarrati: "Mi ha fatto che è una sfacciata puttana."

"Ma papà..."

"Sì, una sfacciata puttana."

Poi asciugandosi gli occhi col rovescio della mano: "Lo vedi questo? L'ho trovato ieri sera a casa sua, gelosamente conservato nel cassetto del comò, nella camera da letto."

Ho abbassato gli occhi: tra due dita, soltanto due, come a sottolineare il proprio ribrezzo, mio padre esibiva qualche cosa in cui ho riconosciuto un fazzoletto appallottolato e tutto chiazzato di macchie giallognole. L'ho subito identificato a causa dell'orlo azzurro: era il fazzoletto che il giorno prima avevo nel taschino della giubba e col quale mi ero pulito la bocca dopo aver mangiato il mango. Non fidandomi di rimetterlo in tasca, per non macchiare la giacca, l'avevo posato sul tavolo, accanto al piatto. Evidentemente Esmeralda l'aveva trovato e riposto nella camera da letto: era pur sempre una traccia della mia presenza in casa sua, benché innocente. Ho detto seccamente: "Sì, lo vedo, è un fazzoletto."

"Già, un fazzoletto; ma non è un fazzoletto qualsiasi. Prima di tutto è un fazzoletto da uomo. Poi lei l'aveva nascosto nel cassetto del comò. Poi, ancora, questo comò si trova non già nello studio ma nella camera da letto. Infine è macchiato di non so quale porcheria gialla. E adesso guardalo bene e dimmi se è un fazzoletto qualsiasi?"

Come preso da una specie di frenesia, mio padre ha stirato il fazzoletto, mi ha mostrato le macchie: "Sì, questo fazzoletto non è un fazzoletto qualsiasi, è un fazzoletto parlante." È stato zitto un momento, stiracchiava il fazzoletto tra le dita: "Adesso è passato un giorno. Ma ieri quando l'ho trovato, era ancora umido, appiccicoso, fradicio dello sperma dell'uomo col quale Esmeralda aveva fatto l'amore. Sì, lo sperma, Mario! Quest'uomo si è pulito col suo fazzoletto. Oppure, com'è più probabile, è stata Esmeralda a strapparglielo dalla tasca e versarci dentro quello che aveva in bocca." Ho chiesto in fretta, per interrompere il flusso imbarazzante delle ipotesi: "Ma secondo te, tutto questo, quando è avvenuto?"

"Ieri, Mario, forse dieci minuti prima che arrivassi. Te l'ho detto che il fazzoletto era fradicio. L'uomo era appena uscito, Mario. Lei aveva fatto appena in tempo a sciacquarsi la bocca."

Ho cercato di nuovo di allontanare il discorso dalla vendicativa pornografia di mio padre: "Ma tu le hai detto che avevi trovato il fazzoletto?"

Con mia sorpresa, è saltato su, bellicoso: "No, perché avrei dovuto dirglielo? Io non sono soltanto Otello, Mario, sono Riccardo De Sio, cioè Otello più Iago, ricordatelo."

"E cioè?"

"Cioè non voglio svelarmi, voglio tirare i fili, fare il burattinaio che dirige il gioco, essere il gatto che scherza col topo. Io so ma lei non sa che io so, e io so che lei non sa che io so."

Questo scioglilingua è stato accompagnato da una specie di compiaciuto cachinno sarcastico che mi ha fatto fremere: "Del resto il gioco del burattinaio è già cominciato. La scoperta del fazzoletto non è che la prima fase del gioco; e non sarà un gioco a due, ma a tre."

Il cuore mi ha dato un tuffo; non sapevo ancora perché, ma sapevo in tutti i casi che avevo ragione di turbarmi: "Perché a tre? Non ti basta Esmeralda?"

Si è chinato in avanti, fissandomi teatralmente: "Siamo tre. Io Esmeralda e l'altro."

"Quale altro?"

"L'uomo del fazzoletto. Cosa credi? Che mi sono lasciato trasportare dall'ira dicendo che era una puttana? No, Mario, ho sempre saputo che non mi era fedele. La mia ira viene dal fatto che lo sia anche in questi giorni."

"Perché? Quali giorni?"

"Ma, Mario, questi, che stiamo vivendo. In questi giorni, appunto in occasione del tuo arrivo da Parigi, le avevo chiesto di sposarmi, e lei aveva accettato con entusiasmo, e di comune accordo, avevamo deciso di passare una spugna sul passato e di cominciare insieme una nuova vita, la vita di famiglia! La vita di te, me e lei nell'appartamento di via Ammannati. La vita che avevo vissuto con tua madre e che ora speravo di riprendere a vivere con Esmeralda."

E quindi, con una riflessione amara e insieme comica: "E invece Esmeralda, mi dispiace dirtelo, ha agito esattamente come tua madre. Anche tua madre mi ha tradito nella stessa occasione e nello stesso modo. Sì, durante il viaggio di nozze a Parigi, l'uomo col quale mi tradiva era nello stesso vagone-letto, due scompartimenti più in là. Si assomigliano, così nel fisico come nel morale; la sola differenza è che tua madre era onesta e me lo diceva in faccia; Esmeralda, invece, quando la colgo con le mani nel sacco, mi fa subito una scenata come se l'infedele fossi io."

Non sapevo che dire; tutto questo me l'aveva già detto al momento dell'arrivo; e continuava a essere oltremodo sgradevole: "Ti prego, lascia stare la mamma. Cosa farai ora?"

"Semplice, te l'ho già detto: farò il burattinaio che tira i fili."

"Ma se mi hai annunziato or ora che debbo dimenticare Esmeralda? Mi era sembrato di capire che intendevi separarti da lei, non sposarla più."

Mi ha lanciato una breve, enigmatica occhiata: "Parole di geloso, Mario, parole di geloso! Il matrimonio si farà, anzi si deve fare, il burattinaio vuole che si faccia. Ma Esmeralda, ormai, non è più la mia compagna, la donna che stavo per sposare, ma un burattino come gli altri che, secondo la volontà del burattinaio, cammina, alza le braccia o, magari, com'è il caso, apre le gambe."

Ora lo guardavo fissamente; le sue parole mi echeggiavano nelle orecchie, ma il senso mi sfuggiva. Poi un sospetto orripilante ha illuminato d'improvviso l'oscurità della mia mente: "Ma insomma tu sai chi è l'uomo del fazzoletto?"

Ha avuto per un attimo un'espressione di pentimento negli occhi. Quindi è parso rinfrancarsi come per un'impennata di orgoglio: "Si capisce che lo so, altrimenti non sarei Otello più Iago, cioè Riccardo De Sio, sarei soltanto Otello."

Così, sapeva, o almeno credeva di sapere. Un altro sospetto, ancora più orripilante del primo, ha di nuovo lampeggiato all'orizzonte: "Come hai fatto a saperlo?"

È stato un momento zitto, come per concentrare quello che voleva dire in una sola sentenza, insieme enigmatica e concisa: "Semplice: ho ricostruito ciò che è avvenuto in base ad una equazione elementare."

"E cioè?"

"Cioè: adulterio eguale a disposizione naturale e innata a tradire, più occasione particolare e viziosa, il tutto moltiplicato per il quadrato del luogo favorevole."

Ho riflettuto. La burlesca equazione di mio padre si poteva spiegare così: disposizione naturale voleva dire innata tendenza di Esmeralda a mancare di parola; occasione particolare e viziosa voleva dire la recita dell'incesto; luogo favorevole, l'attico di via Ammannati. Ma c'erano altre tre ipotesi che non riguardavano me ma un cosiddetto, fantomatico "uomo del fazzoletto"; e in questo caso, pur restando inalterata la innata tendenza a mancare di parola, l'occasione particolare e viziosa poteva essere il gusto dell'adulterio, e il luogo favorevole, lo studio di Esmeralda nel quale, infatti, era stato trovato il fazzoletto. Ora questa ambiguità era consapevole o casuale? Ad un tratto ho capito che non mi importava saperlo e che il punto era un altro. Il punto era che quella stessa ripetizione che io avevo appena sfiorato con Esmeralda e dalla quale mi ero ritratto in extremis, mio padre la praticava viziosamente da molto tempo: come aveva favorito in passato gli amori di mia madre con Terenzi, così adesso favoriva gli amori di Esmeralda con me oppure, che per lui faceva lo stesso, con il misterioso uomo del fazzoletto. A questo pensiero ho provato prima orrore e poi sollievo, orrore per una analogia di comportamento che mi riusciva insopportabile e sollievo per avere dopo tutto, all'ultimo momento, agito in maniera diversa da lui. Sì, lui, col suo appartamento vuoto e la sua illusione di essere il burattinaio che tira i fili, era il vero vizioso che avrei potuto diventare io se avessi fatto l'amore con Esmeralda. Era uno specchio nel quale avevo corso il pericolo di ritrovarmi.

Ma svanita o, come pareva, sul punto di svanire la mia ossessione, restava la contorta pietà che non potevo fare a meno di provare per lui e che mi stimolava ad analizzare la sua condotta, sia pure con animo diverso. Per esempio, come si poteva conciliare la manovra messa in atto per farsi tradire da Esmeralda e da me nell'attico di via Ammannati, con il pianto sincero, benché istrionesco, di pochi minuti fa? Sì, era vero; lui si illudeva di essere Otello più Iago; ma che c'entrava allora il pianto? Iago non piange dopo che ha perfezionato la trama che perderà Desdemona. Ho chiesto bruscamente: "Ma allora, poco fa, perché piangevi? Esmeralda ha fatto proprio quello che tu volevi che facesse: l'amore coll'uomo del fazzoletto. Dovresti essere contento, no?"

"Ahimè, Mario, tutto è così complicato! Non sono un allevatore di bestiame che può dirsi: ho spinto il toro nella stalla, ha montato la vacca, l'accoppiamento è riuscito e buonanotte. Mario, io ho un buon motivo di piangere. E questo, non ci crederai, per causa tua."

Di nuovo mi ha colpito un irrazionale, ingiustificato senso di colpa: "Ma io, scusa, che c'entro?"

"Vedi, Mario, non piangevo per gelosia, piangevo per un dolore che non ha nulla a che fare con la gelosia."

"Ma quale dolore?"

"Il dolore maggiore della mia vita. Il tuo arrivo a Roma mi aveva fatto sperare che il mio sogno di rifarmi una famiglia, stesse per avverarsi. Ero così felice il giorno che sei arrivato! Già mi vedevo con te, che sei mio figlio, con Esmeralda che sarebbe diventata mia moglie, vivere una vita famigliare, serena, affettuosa, nell'attico di via Ammannati. Era un sogno, d'accordo, ma non è forse di sogno, in fondo, che è fatta la vita? E adesso Esmeralda l'ha distrutto."

Ho detto freddamente: "Perché distrutto? Non ti capisco. O forse ti capisco troppo bene, non so. Vediamo, nonostante tutto, hai deciso di non rompere con Esmeralda. Che cosa ti impedisce di sposarla e di farti una famiglia secondo i tuoi sogni?"

Mi guardava, indeciso e, per una volta, sincero nella sua indecisione: "Io sposerò Esmeralda, ma nulla sarà come prima."

"Prima di che?"

Si è deciso: "Prima del patto che Esmeralda aveva fatto con me."

"Ma quale patto?"

"Mettiamo che io le abbia detto: una volta tanto voglio fidarmi di te, promettimi di non tradirmi proprio in questo momento. Mettiamo che lei mi abbia solennemente promesso di restarmi fedele almeno fino a quando ci saremo sposati. Mettiamo che io mi sia fidato nel senso che mi sono illuso da una parte di essere tuttora il burattinaio che tira i fili, e dall'altra che il burattino fosse una persona viva, pensante e capace di mantenere una promessa; mettiamo, insomma, che io abbia chiesto a Esmeralda di decidere lei per la sua vita. Ecco, Mario, perché nulla tornerà come prima: Esmeralda mi ha mancato di parola e non c'è più niente da fare. È per sempre!"

Ho quasi ammirato la sua sottigliezza insieme patetica e sofistica: il sogno che Esmeralda aveva infranto era quello di una famiglia composta da me, da lui e da Esmeralda stessa. Ma chi l'aveva infranto se non lui stesso, facendo il burattinaio e continuando a tirare i fili non già ad un fantoccio ma a una persona viva e capace di scelta? Aveva voluto che Esmeralda ed io ci incontrassimo soli nell'attico come, a suo tempo, aveva voluto che mia madre e Terenzi restassero soli dopo cena davanti alla televisione. Ma, al tempo stesso, aveva avvertito Esmeralda: "Con Mario non devi far nulla, promettimi." Questa richiesta gli aveva permesso, come ho capito di esser al tempo stesso burattinaio lucido e perverso e marito innamorato e fiducioso. Invece

Esmeralda voleva soltanto divertirsi al gioco dell'incesto e aveva giocato, mandando così all'aria il sogno convenzionale di una famiglia tradizionale. Ho detto a caso: "Vedrai che le perdonerai."

"No, Mario, io potrei ancora perdonarle ma a che cosa servirebbe, lei non perdonerà me."

Ci siamo guardati. Adesso tutto mi era chiaro: Esmeralda aveva voluto giocare all'incesto, ma al tempo stesso avrebbe voluto che lui glielo proibisse o comunque si aspettava inconsciamente che lui gliel'avrebbe proibito. Ma lui non aveva voluto rinunziare a recitare la parte di Otello più Iago, cioè di Riccardo De Sio. E ora, di fronte al fazzoletto sporco del succo di mango, per la prima volta, si trovava di fronte al dolore tra tutti più acerbo e amaro: quello dell'irreparabile. L'irreparabile ero io che sapevo di esser stato attirato in una trappola; era Esmeralda che non avrebbe mai più creduto che lui volesse davvero farsi una famiglia tradizionale, affettuosa e pulita, senza perversità, senza voyeurismo, senza burattinaio e senza burattini. Restava insomma soltanto il dolore, un dolore, come ho pensato, certamente genuino, anche se espresso con il linguaggio e i modi di un borghese romano dei Parioli.

Così, adesso, quello che mi era sembrato una contraddizione inconciliabile, si ricomponeva in unità fondamentale: mio padre era al tempo stesso un geloso perverso e un padre di famiglia senza famiglia e desideroso di averne una. Non c'era dunque contraddizione tra il suo pianto di dolore e il suo piano voyeuristico. Come aveva detto di se stesso: era soprattutto Riccardo De Sio, cioè tutto e il contrario di tutto.

Ma mi sentivo oppresso da una complessità così sordida e in fondo poco interessante. Ho chiesto bruscamente: "Va bene, anzi va male: tu sai chi è l'uomo del fazzoletto. Ora torno a domandarti: continuerai a fare il burattinaio che tira i fili?"

Mi ha lanciato uno sguardo quasi di paura, come se

avesse capito che quello che stavo dicendo non era che la punta di un iceberg di conoscenza esatta che avrebbe potuto fare affondare facilmente la fragile imbarcazione del suo sdoppiamento; e ho visto pure che non desiderava che arrivassimo ad una spiegazione così definitiva. Il volto gli si è atteggiato ad una espressione malinconica e amara: "No, Mario, niente più burattinaio e burattini. Il burattinaio smonta il suo teatrino, ripone le marionette e se ne va."

"Che vuol dire questo?"

"Vuol dire, Mario, che nella vita tutto si ripete e al tempo stesso nulla si ripete. Sì, Mario, Esmeralda mi tradisce esattamente come tua madre e, come nel caso di tua madre, io so con chi: dunque tutto si ripete. Ma oggi io non me la sento di mandare all'aria il matrimonio come ho fatto quindici anni fa, tirando i fili fino a spezzarli: dunque nulla si ripete. Oggi voglio che il sogno di farmi una famiglia diventi realtà e così sarà. Mario, io non terrò conto di quel fazzoletto; terrò conto soltanto del fatto che tu sei tornato e sei qui, ed io e Esmeralda ci sposiamo. Forse non avrò la famiglia perfetta, ideale, del sogno, Mario, ma sarà pur sempre una famiglia con le sue ombre ma anche con le sue luci."

Ho avuto un impulso di insofferenza di fronte a questa pervicace volontà di illusione: "Sì, sarà senz'altro una famiglia. Tanto più che, almeno per questa volta, Esmeralda non ti ha tradito."

Gli ho visto sul viso un'espressione incredula, quasi indispettita: "Non mi ha tradito? Ma andiamo! Ma se ho le prove."

"Quali prove?"

"Il fazzoletto. Non dirai che non è una prova, questa."

"Dammi il fazzoletto."

"Ma perché? Cosa ti prende?"

"Ti dico di darmi il fazzoletto."

Se l'è tolto dalla tasca in cui l'aveva riposto e me l'ha dato, ripetendo il gesto di ribrezzo di stringerlo tra le punte delle dita. L'ho avvertito: "Non è così schifoso come credi. Queste macchie non sono di sperma."

"Ma che vuoi dire? Cos'è questa storia?"

"Adesso lo saprai. Se non ti dispiace, ora prendi un fazzoletto pulito nel primo cassetto del comò."

"Ma che c'entra?"

"Ti dico di prenderlo."

Si è alzato, è andato al comò: "Hai preso il fazzoletto? Adesso paragonalo a questo qui: come vedi, sono identici: bianchi col bordo blu."

Ha guardato e non ha detto nulla: "Questi due fazzoletti li ho comprati a Parigi prima di partire per Roma. Otto in tutto, bianchi con il bordo blu. Il fazzoletto sporco, l'ho sporcato io, pulendomi la bocca dopo aver mangiato un mango. Il mango me l'ha offerto Esmeralda durante una visita nel suo studio."

"Tu sei stato da Esmeralda?"

"Credevo che te l'avesse detto. Si capisce. Lei mi ha invitato e io ci sono andato."

"Così il fazzoletto che ho trovato nel comò era tuo?"

Non ho potuto fare a meno, improvvisamente, di provare un senso fastidioso di già visto, di già conosciuto. Ho capito che stavamo spiegandoci reciprocamente gli equivoci che avevano minacciato di travolgere la nostra vita, un po' come i personaggi delle commedie classiche prima del lieto fine. Ma la nostra vita non era trasparente come quella di quei personaggi; e, quanto al lieto fine, esso sembrava essere tutt'altro che lieto. Ho pensato ancora con lucidità che adesso, secondo il copione che stavamo recitando, lui avrebbe dovuto saltarmi al collo, mostrando la più viva gioia per lo scampato pericolo. E infatti così è avvenuto. Per un momento è sembrato esitare tra la verità della sua vita e la menzogna della parte che aveva recitato finora; poi si è deciso e si è gettato in avanti abbracciandomi: "Evviva, Mario, evviva! Tutto adesso è chiaro, la strada che porta alla felicità è aperta, dritta davanti a noi, e noi la percorreremo fino in fondo. Su abbracciamoci, abbraccia il tuo stupido papà che ti vuole bene e desidera che tu viva per sempre con lui e con la sua futura sposa. Su, un bel bacio al tuo papà."

Ci siamo abbracciati, io tuttora avvolto nel lenzuolo, e lui nel suo blazer dai bottoni d'oro. Allora, mentre sentivo le sue labbra umide schiacciarsi sulle mie guance, ho avuto la certezza che questa era l'ultima volta che lo vedevo: "Sì, saremo felici, tu, Esmeralda ed io."

"Vita nuova, casa nuova, figlio nuovo, moglie nuova! Ed ora vestiti che è tardi. Io esco, vado a prendere Esmeralda e poi tutti e tre, ce ne andiamo al ristorante a festeggiare la nostra famiglia. A tra poco!"

È uscito, mi sono liberato dal lenzuolo, sono passato nel bagno, ho aperto la doccia.

CAPITOLO TREDICESIMO

IL RITORNO A PARIGI

Dopo aver fatto una frettolosa toletta, ho tirato giù dall'armadio la valigia e, alla rinfusa, ci ho messo dentro tutta la mia poca roba. Quindi sono andato nel corridoio, ho formato al telefono il numero di Jeanne. Ho sentito la voce insieme renitente e impaziente di Alda e ho detto subito: "Mi avevate invitato a cena mercoledì. Per motivi che è troppo lungo spiegare adesso al telefono, vengo invece a colazione stamane. E visto che tua madre mi ha offerto di stare in casa vostra, vengo con la valigia. Vi va?"

Non ha mostrato alcuna sorpresa. Ha risposto in tono leggermente cospirativo: "Non c'è problema. Adesso lo dico a Jeanne, ne sarà felice, e ti preparerà un buon pranzo. Intanto noi possiamo incontrarci a Villa Balestra per metterci d'accordo."

"Su che cosa?"

"Hai già dimenticato? Sullo champagne che dobbiamo comprare e su tutto il resto."

Ho tagliato corto: "Be', ci vediamo tra poco, verso mezzogiorno, a Villa Balestra."

"Perfetto."

Sono tornato in camera, ho chiuso la valigia, e per la prima volta mi sono chiesto come dovevo congedarmi da mio padre. Scrivergli un biglietto? Oppure andarmene, come si dice, alla chetichella, lasciando alla mia scomparsa il compito di spiegarne il motivo? Alla fine ho deciso per una terza soluzione: gli avrei lasciato a guisa di commiato, quattro versi di Apollinaire che mi pareva facessero al caso. Ho preso un foglio e ho scritto rapidamente, traducendo alla meglio in italiano:

Giro e viro nel vento
faro impazzito
Il mio bel bastimento
se n'è partito.

Ho preso un foglio, sono andato nella camera di mio padre e prima di mettere il foglio in evidenza sul capezzale, ho riletto i versi. Mi rendevo perfettamente conto che mio padre non capiva nulla di poesia; che era infantile, perfino ridicolo, lasciargli quel foglio sul guanciale; eppure ero spinto irresistibilmente nel momento che sapevo che la mia avventura romana era finita, a riaffermare, come in un biglietto da visita, la mia dignità di poeta. Ma ho capito che rileggevo i versi anche per cercarvi, come ero solito, un significato simbolico che aderisse alla mia vita; e mi sono detto che in quella strofetta c'era un'esatta spiegazione della mia fuga. Ho pensato: "Ecco: il faro la cui luce gira impazzita come la banderuola di un campanile durante un temporale, e scruta disperata il mare deserto senza più trovare la bella nave in pericolo, sono io. Con la sua poetica inversione dei termini, è il faro cioè io ad essere attirato dalla nave, non già la nave, cioè mia madre, dal faro. E questo perché io ero un faro che finora, bene o male, aveva giustificato il proprio raggio indagatore con l'esistenza di una nave in pericolo, e questa nave aveva come polena la testa di mia madre, dai capelli sciolti e dagli occhi vogliosi e torpidi. Ma adesso non c'è più nulla né nessuno che mi attiri sul mare deserto; la bella nave è scomparsa; il faro non ha più scopo; la sua luce non illumina più alcun naufragio; tanto vale che il faro si spenga. Che vuol dire tutto questo? Che do addio a mia madre per sempre."

Un altro motivo per cui ero contento di lasciare dei versi

a guisa di spiegazione della mia fuga, era che la poesia è per sua natura ambigua e così mio padre avrebbe potuto pensare tutto quello che voleva, come di fronte alla risposta di un antico oracolo: "Un poeta!" avrebbe concluso alla fine, "è venuto dal nulla, ed è scomparso nel nulla, un vero poeta!" Quasi sorridevo di affetto pensando che mio padre avrebbe spiegato in questo modo la mia scomparsa dalla sua vita.

Tra questi pensieri quasi allegri e, in tutti i casi, leggeri, ho preso la valigia e la borsa in cui tenevo gli oggetti di toletta, e sono uscito quasi a passo di danza dall'appartamento. Poco dopo, già parcheggiavo la macchina in via Ammannati. Sempre con quel passo leggero sono entrato nella Villa Balestra.

Alda mi aspettava sul solito banco. Mi sono seduto, ho detto: "Ciao, ho la valigia nella macchina."

"Jeanne è uscita apposta per te, per fare la spesa e prepararti un pranzo coi fiocchi."

"È contenta che io abbia anticipato il mio arrivo?"

"Felice. Ha detto che sei un maleducato e che dovevi aspettare fino a mercoledì per litigare con tuo padre."

"Allora, dov'è la felicità?"

"Auffa! Si è lamentata appunto per nasconderla."

"Ma io non ho litigato con mio padre. Semplicemente me ne sono andato."

"Di' la verità, ti ha cacciato di casa perché avevi fatto l'amore con la tua futura matrigna."

Così, al solito, le due donne durante i loro conciliaboli, si erano detto tutto ciò che avrei desiderato che l'una non dicesse all'altra e viceversa. Ho protestato, offeso all'idea che mio padre, il quale mi aveva pianto addosso, avesse potuto cacciarmi di casa: "Non è così. Mio padre, a quest'ora, sta cercandomi e farà di tutto affinché io torni. Sono andato via senza dirgli nulla, facendogli credere che restavo."

"La tua matrigna lo sa?"

"Neppure lei sa niente. Non rivedrò mai più né l'uno né

l'altra." Sono stato zitto un momento. Quindi, non sapevo neppure io perché, ho soggiunto con rabbia: "Forse me ne andrò definitivamente da Roma e tornerò a Parigi."

"Adesso sei offeso! È stata Jeanne che mi ha detto che eri innamorato della donna di tuo padre."

"Jeanne, tutto quello che sa, gliel'ho detto io. E io le ho detto che volevo andarmene dalla casa di mio padre. È stato allora che lei mi ha invitato a venire a casa vostra."

Mi ha preso la mano, quasi supplichevole: "Via, via, non arrabbiarti. E non dire che te ne torni a Parigi. Adesso vieni a stare da noi e saremo felici tutti e tre insieme."

Mi stringeva con forza la mano, come per farmi capire che non dovevo neppure pensare di lasciarle. Ho chiesto: "A proposito, al telefono hai detto che dovevamo metterci d'accordo. D'accordo su che cosa?"

"Su quello che farai oggi da noi."

"Farò colazione, ecco tutto."

"Sì, ma dopo colazione..." Non ha finito, ha rivolto gli occhi in basso alle proprie mani riunite in grembo, per il solito gesto della penetrazione sessuale. Ho sospirato con sazietà: Alda mi pareva inutilmente cruda e ripetitiva: "Che c'entra questo. Ci sarà tempo, no?"

"No, non ci sarà tempo. Lei si aspetta che tutto avvenga al più presto possibile."

"Come fai a saperlo?"

"Stanotte siamo andate avanti a parlare fino alle tre, e sai cosa diceva?"

"Come faccio a saperlo?"

"Ha detto tante cose. In conclusione lei pensa che tu non hai bisogno di amore fisico, ma di affetto."

"Può darsi che abbia ragione."

"Già, ma se ha ragione, è inutile che tu venga a stare da noi."

"E perché?"

"Auffa, lo sai, non farmelo ripetere. Lei non pensa ad altro. E se è vero che tu hai bisogno soltanto di affetto, allora saremo daccapo. Tu vivrai a casa nostra, se vogliamo, come un fratello più grande; lei continuerà a piangere la morte del papà e al tempo stesso a cercarsi un uomo; io dovrò ricominciare a far tardi la notte per ascoltare le sue confidenze. Insomma niente cambierebbe. Grazie tanto, non ci sto."

"Ma insomma io non posso venire a colazione, disfare la valigia e poi, immediatamente, saltarle addosso!"

"E invece è proprio questo che devi fare. Ed è proprio questo che lei si aspetta da te. È una vacca, Jeanne, e se non capisci questo, non capisci nulla. È una vacca come ce ne sono poche."

Ero sconcertato da questo linguaggio oltraggioso e urgente, come di mezzana che offre una prostituta ad un cliente timido. Ho obiettato: "Va bene, ma queste cose non c'è bisogno di prepararle. Vengono da sé."

"Con te, no."

"Come sarebbe a dire?"

"Voglio dire che con te non si può mai sapere. Hai detto o non hai detto che non provi desiderio per Jeanne? Allora perché dovrebbe venire da sé? Non verrà da sé e non farai nulla."

Ho capito finalmente: nella sua candida, inesperta ignoranza, Alda aveva preso sul serio la mia descrizione del fenomeno fisiologico e tutto maschile dell'erezione. Mi sono messo a ridere: "Tu sei una bambina, e di queste cose non capisci nulla."

"Non capirò nulla, va bene. Ma hai detto o non hai detto che quando sei con Jeanne non provi nulla?"

"L'ho detto per dire che non mi sentivo di amarla."

"No, tu l'hai detto per spiegare che non ti diventava rigido. E hai anche detto che invece ti diventa rigido con me. Hai detto questo, non puoi negarlo!"

Parlava in tono offeso, come chi si vede trattata da bugiarda. Ho cercato di attenuare la crudezza del nostro dialogo: "Mettiamo che tutto questo sia vero. Ma la differenza tra il desiderio e l'assenza di desiderio non è così netta come credi. Ci sono tante sfumature. Si può cominciare con una mancanza completa di desiderio e finire magari con un desiderio molto violento."

"In che modo?"

"Ma non so. Può accadere qualche cosa di nuovo, di strano, di mai provato prima. Allora si passa, diciamo pure, dall'impotenza al suo contrario."

Mi guardava nella sua maniera semiaddormentata e tuttavia densa di intenzioni: "È proprio su questo che voglio che ci mettiamo d'accordo."

"Ma che dici? Quale accordo?"

"Tu non provi desiderio per Jeanne, e invece ne provi per me. E allora facciamo in modo che accada, come dici, qualche cosa di nuovo, di strano, di mai provato."

"Che vuoi dire?"

"Tu, pensa a farle la corte, scherza con lei, falla bere, magari stringile la mano, magari chiedile un bacio. Tutte queste cose si possono fare senza desiderio, no? E io intanto, sotto la tavola, ti toccherò col piede. E siccome tu mi desideri, ti diventerà subito rigido. Allora Jeanne penserà che ti sia diventato rigido a causa sua, e accetterà di fare l'amore, e tutto andrà a posto."

Sono stato colpito dall'obbiettività quasi scientifica del tono: come se lei volesse minimizzare la sua complicità fino a ridursi a mero strumento di meccanica eccitazione. Mi è balenata allora, una volta di più, l'idea che Alda, con la scusa di facilitare il mio rapporto con Jeanne, mirasse inconsciamente a crearne uno tanto più reale e sentito con me. Non era facile, però, come mi sono detto, sceverare, in quella sua diabolica infantilità, ciò che era consapevole da ciò che era inconscio. Ma tant'era: Alda era ambigua per carattere, oltre che per età, e non c'era niente da fare.

Ho protestato: "Non sei che una bambina ignorante e questo tuo modo di parlare dell'amore lo dimostra. È vero, ho detto che non provo desiderio per Jeanne, così, sul momento. Ma può benissimo accadere che oggi, una sua parola, un suo sguardo me lo facciano venire questo desiderio senza alcun bisogno che tu intervieni a provocarlo."

"Ma non è sicuro, e io invece voglio essere sicura."

"Ma perché?"

"Auffa, perché così non posso più andare avanti."

"Allora, diciamo che è sicuro almeno al novanta per cento. Tu non sai nulla di queste cose. Ho vent'anni; ad uno della mia età succede continuamente: vado in autobus, guardo una donna, mi dico che è insignificante, brutta, magari ripugnante, poi una scossa dell'autobus ci spinge l'uno contro l'altro, ed ecco che provo il desiderio."

"Ma che ti fa? Io ti faccio piedino sotto la tavola, appena mi accorgo che ti ha fatto venire il desiderio, mi alzo e me ne vado, e voi restate soli. Ecco tutto."

Adesso, una volta di più, la mia eterna, deplorevole disponibilità mi tentava. Ero sicuro di non aver alcun bisogno dell'aiuto di Alda per giungere al desiderio con Jeanne; ma non potevo fare a meno di essere incuriosito dall'atteggiamento della figlia: sapeva o non sapeva di rivaleggiare con la madre? Era o non era consapevole del fatto che stava tentando di prenderne il posto? Ho finto di riflettere, poi ho detto: "A mia volta, ti faccio una proposta: se mi accorgo che il desiderio non viene, ti farò un segnale."

Si è subito mostrata invogliata dal carattere di gioco che stava assumendo il nostro complotto: "Quale segnale?"

"Diciamo che ad un certo punto, inviterò Jeanne a bere alla maniera tedesca, quella che i tedeschi chiamano *bruderschaft*."

"Com'è la maniera tedesca?"

"Si intrecciano le braccia, si beve insieme."

"Questo vuol dire che io debbo farti piedino?"

Ho esitato. Un segnale è sempre affermativo: si fa un segnale affinché una cosa avvenga come avevo pensato a tutta prima e come Alda aveva rettamente interpretato, non perché non avvenga. Ma il diavolo tentatore della disponibilità mi ha suggerito questo sofisma opposto: se mi sento in grado di bere e magari anche di baciare Jeanne dopo avere bevuto, questo vorrà dire che non avrò bisogno della complicità di Alda. Ho detto con un preciso senso di inganno: "No, questo vuol dire che mi è diventato rigido e che non c'è bisogno che tu mi fai piedino."

A che cosa mirava questa mia ambiguità? Ovviamente a far sì che Alda impazientita dalla mia inerzia e ingelosita dalla intraprendenza di Jeanne non tenesse conto del segnale e mi premesse comunque il piede sotto la tavola. Lei ha confermato questa mia manovra dicendo impetuosamente: "D'accordo, d'accordo, sta' tranquillo, ti aiuterò." Che era una maniera a sua volta ambigua di andare incontro alla mia propria ambiguità. Si era alzata, intanto: "Adesso però andiamo a comprare lo champagne. Oggi è domenica, i negozi sono chiusi, bisognerà cercare un bar che ne abbia."

Si è messa a camminare in fretta attraverso il prato verso l'uscita. Ha soggiunto senza guardarmi: "È l'ultima volta che mi occupo di Jeanne. Se non lo farà, me ne andrò."

"Dove andrai?"

"Andrò via con te, in Francia. Non mi hai forse promesso che una volta a Parigi mi avresti fatto invitare da tuo zio?"

"Sì, ma..."

"Ci ho pensato, alla Francia. In fondo lo sai che cosa potremmo fare; cercare una casa a Parigi e vivere insieme come marito e moglie. Da tuo zio resteremo il tempo necessario per trovare casa."

Sono rimasto senza fiato di fronte a questo programma che non pareva né improvvisato né casuale. Ho obiettato: "Io, veramente, pensavo di farti venire da mio zio per un breve soggiorno. E poi, scusami, perché marito e moglie?"

"Non mi hai detto che non desideri Jeanne, ma desideri me? E un marito forse non desidera la moglie?"

Così, ho pensato ancora una volta, sulla base di un insignificante informazione sulla fisiologia maschile, lei aveva addirittura costruito una specie di romanzo. Non ho avuto il tempo di esprimere la mia sorpresa, ha soggiunto in fretta: "Io potrei essere un'ottima moglie, come e più di Jeanne. Tu dirai che sono ancora troppo piccola; ma lo saprai soltanto tu. Tutti mi danno almeno quindici anni. Tra un anno ne dimostrerò diciotto. E allora figureremo come coetanei."

"Ma tu non volevi che io diventassi l'uomo di Jeanne e quindi tuo papà?"

Abbiamo varcato il portale di ingresso. Ha risposto brevemente: "Sì, lo volevo e lo voglio ancora. Ma non lo voglio *sempre*."

"Come sarebbe a dire che non lo vuoi *sempre*?"

"Qualche volta ti vedo come papà, qualche volta come marito, secondo i giorni."

"Secondo quali giorni?"

"Per esempio, oggi, ti vedo piuttosto come papà. Domani, chissà."

"Chissà?"

"Auffa con le tue ripetizioni! Sembri l'eco in montagna: uno chiama, mettiamo 'Alda' e l'eco risponde: 'Alda, Alda, Alda!' Suvvia, guida in fretta che andiamo a comprare lo champagne."

Ho guidato, riflettendo su quel "chissà". E mi dicevo che quello che io chiamavo disponibilità e che mi rimproveravo come il mio maggiore difetto, in Alda era addirittura un carattere congenito e inconscio, come il colore degli occhi o la forma del naso. Disponibile ad essere mia figlia, lei non rifiutava l'idea di essere anche disponibile ad essere mia moglie!

D'altra parte la disponibilità mi faceva adesso l'effetto del crocevia senza indicazioni stradali nel quale si imbatte il viaggiatore sperduto. Egli esita, pensa che lo stradone che gli si offre, largo, ben asfaltato, ben tracciato, magari si trasformerà in sentiero oppure addirittura, piomberà in un burrone: mentre quel piccolo, sparuto viottolo, si allargherà, si raddrizzerà, diventerà una larga, comoda strada. La disponibilità in questo caso voleva dire non rifiutare né lo stradone né il sentiero, accettarli ambedue, per vedere dove portano. "Tanto," ho concluso ad un tratto, con una frase che mi ripetevo spesso per consolarmi delle mie scelte ambigue: "Tanto una vita ne vale un'altra."

Alda mi ha dato un gran colpo sulle ginocchia: "Fermati, fermati, ecco il bar dove possiamo comprare lo champagne."

Mi sono fermato; eravamo infatti di fronte ad una pasticceria: "Dammi i soldi, so io lo champagne che piace a Jeanne. Dammi soldi per due bottiglie."

Impaziente, mi ha tirato fuori lei stessa il portafoglio dalla tasca davanti dei blue jeans, ne ha estratto in fretta il denaro, ha lasciato il portafoglio sul sedile ed è saltata fuori dalla macchina. L'ho aspettata fumando nervosamente e considerando attraverso il vetro del parabrise, l'esposizione all'aperto di un fioraio, sotto un grande ombrellone verde. Ho chiesto ad Alda, com'è rientrata nella macchina con la busta delle due bottiglie: "Non credi che dovrei portarle anche dei fiori a Jeanne?"

"Sì, bravo, perché poi li vada a mettere nella camera del papà, ad ornare la cappella."

Non ho detto nulla. Ho ripreso a guidare. Lei ha continuato: "Basta lo champagne. Le piace proprio. Vedrai quanto ne beve. Quando è ubriaca, fa sempre lo stesso scherzo."

"E cioè?"

"E cioè, pretende di dire un segreto all'orecchio, e invece dà un bacio a sorpresa, di quelli che ti fanno tintinnare l'orecchio per non so quanto."

"Ma l'orecchio di chi?"

"Dell'uomo che le fa la corte in quel momento."

"Poi che cosa succede con l'uomo?"

"Nulla, proprio nulla. Ne parla con me per alcuni giorni, di notte, e poi non vuole più vederlo."

Tra queste curiose malignità proferite con voce rude e monotona, siamo giunti alla palazzina di via Ammannati. Alda ha preso la busta con le due bottiglie di champagne, io, la borsa e la valigia. Nell'ascensore, come una mezzana ansiosa di portare a termine una difficile impresa di seduzione, mi ha raccomandato: "Adesso che viene ad aprirci, abbracciala, le farà piacere. Capirà che fai sul serio. E prendi le bottiglie, devi dargliele tu."

Un piano, due piani, tre piani. L'ascensore saliva e io mi ripetevo che era proprio vero: andavo a stare con Jeanne e Alda, forse per sempre, in tutti i casi a lungo. Come era facile vivere, anche se la vita era lenta e la speranza era violenta! L'ascensore si è fermato, le porte si sono aperte, Alda ha preso la borsa e la valigia, ha fatto un'ultima raccomandazione: "Appena viene abbracciala, dalle un bacio. Se te lo renderà vorrà dire che è d'accordo e il più è fatto."

Mi ha lanciato un'ultima obliqua occhiata d'intesa, poi ha messo la chiave nella serratura ed è entrata: "Jeanne, siamo noi, oh, oh, siamo noi!"

Subito Jeanne è uscita dalla porta della cucina, in grembiale di cuoca, un mestolo in una mano e un coperchio di pentola nell'altra. Pareva davvero felice. Rideva scoprendo i canini bianchi e aguzzi, segno in lei, come sapevo, di intensa allegria. "Bravo Mariò, bravo Mariò, bravissimo. Hai anticipato e hai fatto bene. Il solo inconveniente è che oggi è domenica e i negozi sono chiusi. Avrai un pranzo un po' arrangiato." Così dicendo si è lasciata abbracciare di buona grazia, tenendo aperte e distanti le braccia, col mestolo da una parte e il coperchio della pentola dall'altra. Ma è sfuggita al bacio porgendomi con decisione la guancia. Ha detto ancora: "Io vado a cucinare, voi due preparate la tavola."

Ecco il soggiorno. Non ho potuto fare a meno di rivolgere alla grande stanza rettangolare lo sguardo dell'ospite che vede per la prima volta la casa dove abiterà e si prefigura la vita che ci vivrà. Dunque: in quell'ampio sofà basso e gonfio tutto riempito di cuscini variopinti, e ricoperto da una stoffa quadrettata a patchwork, mi sarei seduto, o meglio sdraiato con Jeanne e Alda per guardare insieme la televisione, che infatti stava di fronte; oppure avrei letto le riviste e i giornali che vedevo allineati sul tavolino basso tra i portaceneri, le scatole di sigarette e un grande vaso pieno di fiori. Nella libreria, di quelle smontabili, di legno al naturale, piena di libri grandi e piccoli, francesi e italiani, avrei scelto qualche cosa da leggere nei pomeriggi solitari, quando Jeanne se ne sarebbe andata a fare le sue ricerche per l'università e Alda avrebbe ripassato i compiti presso un'amica. E a quella tavola rotonda di vetro e acciaio che occupava tutto un angolo, attorniata da sei seggiole di giunco, mi sarei seduto a mangiare tre volte al giorno con le due donne. Provavo, guardando al soggiorno, il senso di irrealtà incredula che fa dire o pensare: è tutto un sogno. Ma mi sentivo rassicurato dall'aspetto affettuoso, familiare, femminile della stanza, quell'aspetto tra tutti confortante delle dimore che, per così dire, si sono formate da sé, senza uno stile pianificato, secondo i gusti personali e le necessità quotidiane.

Alda già andava e veniva dalla credenza alla tavola, disponendo i piatti. Si è accorta che guardavo; mi ha chiesto: "Ti piace la nostra casa?"

"Mi piace moltissimo, soprattutto perché è una casa normale, in cui non può succedere nulla di straordinario. Una casa per tutti i giorni in cui ci si vive la vita quotidiana, punto e basta."

Mi ha lanciato un curioso sguardo di apprezzamento ambiguo: "Non l'hai ancora vista tutta. Non hai visto che il soggiorno."

È stata un momento zitta come scegliendo mentalmente le parole prima di pronunciarle. Poi ha detto con precisione: "Non è una casa normale. Il pranzo non è ancora pronto: vieni, ti faccio vedere qualche cosa."

"Ma che cosa?"

"Auffa! Vieni e vedrai!"

Incuriosito dal tono in qualche modo solenne, l'ho seguita fuori dal soggiorno. È andata in fondo a un corridoio ridotto quasi a uno stretto passaggio da un grande armadio a tre sportelli. Ha aperto una porta e si è fatta da parte per lasciarmi entrare: "Guarda se questa è una camera da letto oppure qualche altra cosa non proprio normale."

A prima vista mi ha colpito, invece, l'aspetto normale della camera. Le due finestre, l'una accanto all'altra, erano aperte ma con le avvolgibili abbassate; il sano, asciutto sole di giugno non penetrava nella camera, ma se ne avvertiva l'ardore e il silenzio pur nella fresca penombra. Ho visto un grande letto matrimoniale sormontato dalla copia di una madonna di Raffaello; una toletta a tre specchi addossata contro la parete, tra le due finestre; un comò antico, con un orologio impero sotto vetro; un armadio a muro che occupava tutta una parete. Poi, dopo questo primo sguardo, mi è saltata agli occhi l'anormalità. Prima di tutto i fiori; ce n'era un vaso sulla toletta, un altro sul comò, un terzo e un quarto su ciascuno dei tavolini da notte. In secondo luogo i preparativi per la notte, benché fosse appena mezzogiorno: da una parte una camicia femminile, di velo azzurrino, stava distesa sul letto con le braccia aperte; dall'altra, un pigiama maschile blu, anch'esso con le braccia aperte. Sui due tavolini da notte, oltre al mazzo di fiori e alla lampada, c'erano due fotografie incorniciate d'argento, l'una di un uomo calvo, con la faccia rotonda e i baffi neri, dalla parte della camicia femminile; l'altra di Jeanne, dalla parte del pigiama maschile. Laggiù, in un angolo in ombra, da un attaccapanni, pendeva una giubba blu scuro di foggia militare e un berretto con la visiera: il marito era stato comandante pilota sulla rotta aerea dell'Atlantico. Alda guardava la camera come per essere sicura che tutto fosse nell'ordine solito; poi si è voltata verso di me: "Adesso ti pare ancora una camera normale?"

Ancora incredulo, ho chiesto: "Ma alla fine, chi dorme qui?"

"Vuoi dire chi ci dormiva? Jeanne e il papà. Poi, da quando il papà è morto, nessuno."

"Eppure questa camicia, questo pigiama..."

"Ci stanno perché Jeanne, che dorme in un'altra stanza, vuole che la camera rimanga così come era, la notte che il papà è morto. Insomma, te l'ho già detto, non è una camera dove si vive, è una cappella. Jeanne si arrabbia quando la chiamo in questo modo, ma ha torto. È vero, il papà è al cimitero; ma ci sono i suoi vestiti, la sua divisa, le sue scarpe, il suo pigiama, che più?"

È andata all'attaccapanni, laggiù nell'angolo in ombra, ne ha staccato il berretto blu scuro, con i galloni d'oro e la visiera e se l'è calzato sulla testa, con impassibile parodia: "Questo è il berretto di papà che era comandante di aereo, e dopo aver sorvolato innumerevoli volte l'oceano, è morto in un incidente di macchina in località Casalpalocco." Ha riattaccato il berretto, ha sollevato la manica della giacca per mostrarmi i galloni, mi ha indicato in terra le scarpe nere: "Ma se ti aprissi l'armadio vedresti anche le giacche, le camicie, le cravatte, i calzini. Ogni cosa in ordine; ben stirata, ben conservata sotto naftalina."

Non ho detto nulla. Ha ripreso: "Adesso lei vorrebbe conservare la cappella così com'è e farti dormire nella mia stanza. Io dovrei andare a dormire nella sua, che ha due letti. Ma io non ci sto: o lei butta via tutta questa roba e ti fa dormire qui, beninteso con lei, o preferisco che te ne torni da tuo padre."

"Io non posso tornare da mio padre."

"A me basta che fai con Jeanne quello che hai fatto con la donna di tuo padre, sulla terrazza dell'attico. Se lo fai, vedrai che tutta questa roba del papà va a finire nella pattumiera."

"Ma perché parli in questo modo?"

"Ma quale modo?"

"Violento, sprezzante. Dopotutto era tuo padre."

"Lo sai dove stava andando quando la sua utilitaria si è

schiacciata contro un albero dell'autostrada? Non già a casa nostra, ma da una sua amante! E sai che cosa aveva telefonato da Rio a Jeanne? Che l'aereo era in ritardo e sarebbe arrivato il giorno dopo."

La porta si è aperta improvvisamente e la testa di Jeanne si è affacciata: "Eh, cosa fate qui, è pronto, venite a mangiare."

Il tono era quasi scherzoso, in tutti i casi indulgente e materno.

"Ho voluto mostrargli la camera in cui dormirà" ha detto Alda con tranquilla e sorniona provocazione.

"Brava. Ma di questo ci occuperemo dopo. È pronto, su, venite a mangiare."

Il pranzo era pronto, infatti. Nel mezzo della tavola, troneggiava, su un vassoio, una piramide bianca picchiettata di verde, di rosso, di giallo e di nero: un'insalata di riso, mescolata di minuti pezzetti di peperoni, pomodori, carote, e olive. Accanto al vassoio, c'era un secchio, con la bottiglia di champagne tuffata nel ghiaccio. Una rosa era posata accanto a ciascun piatto. Petali di rosa galleggiavano nell'acqua delle coppette per sciacquarsi le dita. Jeanne si era tolto il grembiale di cuoca, indossava pantaloni alla zuava rossi e un corpetto di foggia orientale verde con alamari d'oro, dalla scollatura profonda che le scendeva fin quasi alla vita e lasciava per metà nudi i seni. Ho visto pure che si era passato un filo di rossetto sulle labbra che di solito non si dipingeva. Ha esclamato allegramente: "Beviamo subito alla salute di Mariò che viene a vivere con noi." Ha estratto la bottiglia dal secchiello, ha liberato il collo dalla stagnola e ha preso a spingere in su il tappo. Alda, contagiata dall'allegria, si è tappata le orecchie. Ma il tappo è sgusciato fuori dal collo, ricadendo subito sulla tavola, quasi senza fare rumore. Però il vino è eruttato lo stesso, schiumoso e abbondante. Jeanne ha gridato: "Svelti, datemi i vostri bicchieri."

Rideva nervosamente, con una specie di acre e crudele

ilarità. Ha riempito fino all'orlo il proprio bicchiere e prima ancora di brindare, l'ha vuotato per intero, con un solo lungo sorso; quindi l'ha riempito di nuovo, ha riempito i nostri e ha teso il suo verso di me, dicendo: "Alla tua salute, Mariò, con tanti auguri che tu venga a stare qui con noi, diciamo, una vita intera. Non abituarti, però, non ci sarà lo champagne tutti i giorni."

Alda ha ribadito sarcastica: "Soltanto nelle grandi occasioni: battesimi, matrimoni, funerali. Oggi che cosa sarebbe, un matrimonio?"

"No," ha corretto Jeanne seria, "semmai un battesimo. Battezziamo qualche cosa come l'inizio di una nuova vita, la vita insieme di noi tre, tu, Mariò ed io." Stava in piedi, pareva esitare, si è decisa al fine: "Mariò beviamo adesso noi due: accettando il mio invito, io so che hai fatto qualche cosa che forse non volevi fare e mi fa piacere pensare che l'hai fatto per me. Scusa, Alda, ma è proprio una cosa tra me e lui."

"Perché scusarti, Jeanne. Certo non è venuto qui per me."

"È venuto prima di tutto per se stesso."

"Sono venuto per tutte e due."

Così abbiamo brindato, Jeanne ed io, sotto gli occhi assonnati e impazienti di Alda; poi abbiamo bevuto alla salute di Alda che, però, non si è alzata, ha teso il bicchiere con aria svogliata e poi ha gridato: "Via, datevi un bacio e non fate tante storie."

Jeanne ed io ci siamo guardati, quindi Jeanne mi ha teso non già la bocca ma la guancia e io ho sentito sotto le mie labbra la pelle straordinariamente liscia, dolce e, come mi è sembrato, già ardente per il vino bevuto. Si è subito staccata, mi sono seduto, lei ha preso a servirci in piedi: "Anche al bacio non devi, però, abituarti, Mariò."

"Ma Jeanne ti sei fatta baciare sulla guancia. Tutto qui."

"Su, mangiate, ho passato la mattinata a farvi questa insalata di riso, ditemi se è buona."

Abbiamo cominciato a mangiare. Jeanne non mangiava quasi nulla; si limitava a separare accuratamente con la forchetta il riso dalle verdure. Alda fingeva al contrario di essere affamata; mangiava a testa bassa. Io mangiavo lentamente, guardando ora la madre, e ora la figlia; temevo che Alda, infatuata dal suo complotto, facesse qualche cosa di imprudente e di provocatorio. Infatti, eccola ad un tratto esclamare con insofferenza: "Ho caldo, vado a cambiarmi. Vengo subito."

Il tono della voce era pieno di sottintesi. L'ho seguita con gli occhi e, come prevedevo, l'ho vista rivolgermi, dalla soglia della porta il gesto del bacio, con due dita sulle labbra, ma non verso me bensì verso Jeanne. È scomparsa e mi sono accorto che nonostante la loro rozzezza, questi suggerimenti o meglio comandi funzionavano. Ho guardato Jeanne e ho sentito con molta precisione che "dovevo fare qualche cosa". Ma che cosa? Ho arrischiato: "Allora sei contenta che io sia venuto a stare con voi?"

Mi ha risposto a occhi bassi, con ritrosa serenità: "Sì, visto che sono stata io a invitarti. Ma ad una condizione."

"Quale?"

"Ho avuto l'impressione che tu fossi molto preso dalla donna di tuo padre. Tu sei venuto da noi e io sono contenta. Ma ti avverto che se lei verrà a cercarti o tu, com'è più probabile, la cercherai, allora preferisco che torni da tuo padre."

Ho esclamato: "Perché dovrei rivedere quella donna? Quello che è successo sulla terrazza dell'attico non si ripeterà più."

"Non so cosa sia, ma sento che tra te e lei c'è, come dire? qualche cosa di particolare. Un tempo avrebbero detto che il destino vi spinge l'uno verso l'altro."

"Ma quale destino?"

"Forse non mi sono espressa bene. Alda mi ha descritto quella donna: mi pare incredibile che tra te e lei ci sia stato quello che c'è stato. Eppure c'è stato."

"Non c'è stato nulla."

È rimasta un momento zitta, come se le ripugnasse quello che stava per dire e tuttavia non potesse fare a meno di dirlo: "Alda mi ha detto che quando quella donna si è accorta di lei, è scappata. Tu allora hai acceso una sigaretta, ma eri così turbato che non ti sei accorto che eri ancora con i pantaloni aperti e con il sesso fuori."

Non c'era dubbio: proprio attraverso la crudezza di questa descrizione, la mia intimità con Jeanne stava progredendo verso la meta che Alda mi aveva indicato. E tuttavia non riuscivo a decidermi su quello che dovevo fare: alzarmi dalla tavola e andare a baciarla, oppure risponderle con altrettanta crudezza. Con straordinaria intuizione, lei ha proseguito: "Si direbbe, insomma, che quella donna ti attira non già perché ti piace, ma perché non ti piace. Cioè per una ragione che non riguarda lei, quanto te e soltanto te: forse perché è la donna di tuo padre e ti piace l'idea che lo tradisca con te; forse perché tuo padre la sposerà e ti senti attirato da lei come qualche volta un figlio molto giovane può sentirsi attirato dalla propria madre."

Così lei stava dicendo quasi esattamente la verità. E tuttavia non era la verità: io ero attirato da Esmeralda non tanto dal fatto che stava per diventare la mia matrigna quanto per la sua somiglianza con mia madre. Allora, forse per la prima volta, guardando Jeanne, ho provato il desiderio di provare il desiderio. Di scatto mi sono alzato dal mio posto, sono venuto alle sue spalle, ho messo le due mani sulle sue braccia e mi sono chinato per baciarla, dicendogli in un soffio: "Ti giuro che non rivedrò mai più quella donna."

Le mie mani sono discese fino al seno; ma lei non si è lasciata baciare. Si è tirata da parte, ha preso il bicchiere e mi ha detto guardando in su verso di me, con espressione curiosamente dolce e indulgente: "Via, non fare giuramenti da marinaio che poi magari non sarai capace di osservare. Adesso bevi nel mio bicchiere e promettimi semplicemente che d'ora in poi ti comporterai bene, da amico affettuoso e da ospite ben educato." Ha bevuto un sorso e poi mi ha teso il bicchiere. Commosso fino alle lacrime, ho bevuto a mia volta.

In quello stesso momento, ecco, è rientrata Alda. Ha visto Jeanne seduta e io in piedi dietro di lei, in atto di bere dal suo bicchiere e ha dato immediatamente in una delle solite risate invidiose e sarcastiche "Ma bravi, non vi si può lasciare soli un momento che voi ne approfittate. Bravi, ma non vi pare di cominciare troppo presto? Siamo ancora all'insalata di riso. Perché non aspettate fino al dolce?"

Si era cambiata ben poco. Si era limitata a sostituire la camicia con una maglietta senza maniche dalla quale uscivano le braccia magre e pallide. Jeanne si è alzata dalla tavola: "Credo che debbo proprio andare in cucina. Ho un soufflé nel forno e non vorrei che si bruciasse."

"Sì, brucia infatti. Ho sentito un certo odore di attaccato!"

"Oddio, vengo subito."

Appena Jeanne è scomparsa, Alda si è seduta, ha preso il bicchiere, l'ha svuotato di colpo e poi mi ha aggredito così: "Si può sapere perché non l'hai baciata? Non dire di no, ero dietro la porta, vi ho ascoltati, vi ho visti: parole tante, ma fatti nulla o quasi nulla. Ora stai a sentire bene: adesso, a un certo momento, io metterò il discorso sulla camera da letto e allora, o lei ti ci fa dormire oppure tanto vale che riprendi la valigia e te ne vai."

"Se lei vuol conservare la camera così com'è, che c'entro io?"

Laidamente, con voce strascicata e sprezzante, mi ha rifatto il verso: "Che ci posso fare io? Puoi fare che ti decidi a fare la centesima parte di quello che hai fatto con la donna di tuo padre! E adesso stai a sentire ancora: io proporrò di andare a rivedere la camera. Poi, con una scusa me ne andrò e vi lascerò soli. Allora, se tu non le fai fare l'amore proprio lì, su quel maledetto letto preparato

per la notte, questo vorrà dire che sei proprio un fifone."
"Io non sono un fifone!"

La voce le tremava per non capivo quale rabbia professionale di mezzana spazientita: "Se ti dico che non pensa ad altro! È ubriaca, basterà che le domandi come ha fatto l'amore la prima volta con il papà."

"Come l'ha fatto?"

"In piedi, nel gabinetto dell'aereo. Se glielo chiedi te lo dirà lei stessa. Sai che dice lei, a proposito del suo primo incontro con il papà? Che adesso non può sentire lo scroscio dello sciacquone senza rivedersi con lui che la stringeva da vicino, e intanto con la mano premeva il bottone e faceva scorrere quella bella acqua blu che usano negli aerei. Lei era entrata per far pipì e non ha potuto resistergli perché si era appena alzata dalla tazza e aveva lo slip arrotolato sulle caviglie. Pensa," ha concluso con un riso infantile, "lei non voleva e poi tutto ad un tratto un vuoto d'aria li ha, per così dire, gettati l'uno tra le braccia dell'altro. Ma si può sapere che cosa è un vuoto d'aria?"

Non ho avuto il tempo di rispondere. Per me ha risposto la voce di Jeanne che rientrava in quel momento: "Un vuoto d'aria è una cosa terribile. Io, sulle Alpi, con un cielo azzurro, senza una sola nuvola, sono caduta giù almeno di mille metri." Jeanne, di ottimo umore, ha posato sulla tavola la teglia dello sformato: "Cambiate i piatti che vi do il soufflé. È bollente, non è un piatto estivo, ma è buono lo stesso."

Ci ha servito il soufflé, poi si è seduta e ha ripreso a parlare dei vuoti d'aria. Ad un tratto Alda si è alzata con il bicchiere in mano: "Intanto che il soufflé si raffredda beviamo alla salute di Mario. Dimmi, Jeanne, non hai l'impressione che Mario stia qui da noi da anni e anni."

"In tutti i casi, auguriamogli di restarci almeno fino a quando partiremo per la villeggiatura."

"Verrà anche lui in villeggiatura con noi, no? Altrimenti che farà a Roma, solo, nella casa vuota?"

"Ne approfitterò per fare il turista, visitare Roma."
"Vedrà forse quella signora a cui ha fatto visitare l'attico."
"Alda, smetti di bere. Un bicchiere di champagne basta per ubriacarti. Niente brindisi, mangiate!"
Forse Jeanne aveva ragione: lei che aveva già bevuto molto appariva sobria e del tutto padrona di sé; Alda che era ancora al primo bicchiere, dava invece l'impressione di essere ubriaca. Punta sul vivo, Alda ha vuotato di colpo il bicchiere e poi ha detto distaccando con cura le parole l'una dall'altra, come per mostrare che non era ubriaca: "In tutti i casi mi fa uno strano effetto vedere Mario seduto davanti a me, al posto del papà. Quasi quasi lo prenderei per il papà e gli domanderei: 'Papà posso alzarmi e andare da Emilia?' Tanto non mangerò il soufflé, l'insalata di riso mi basta e me ne avanza." Facendo seguire il gesto alle parole, ha accennato ad alzarsi. Jeanne ha chiesto con severità: "Ma che ti prende? Dove vai?"
"Di là, a leggere un romanzo che ho cominciato ieri."
"Siediti, non fare storie, e lascia stare il papà. Mariò è Mariò, e il papà è il papà."
Con sorprendente docilità, Alda si è seduta subito, anzi per così dire, si è sdraiata sulla seggiola, venendo a trovarsi con il petto contro il bordo della tavola. Nello stesso tempo ho sentito il suo piede scalzo che cercava il mio, e, avendolo trovato, lo premeva con forza: "Ad ogni modo fai bene a far capire a Mario che deve restare soltanto un mese da noi. In questo modo sa che cosa l'aspetta."
"Se vorrà venire in villeggiatura con noi, a Capri, sarò la prima a essere contenta."
"E se restasse con noi anche l'autunno? Anche l'inverno?"
"Non avrei nulla in contrario."
"Ma come vuoi che Mario rimanga con noi se tu sei decisa a non dargli niente, a trattarlo come un pensionato qualsiasi, a tanto di retta al giorno?"

"Ma che cosa dovrei dargli? Su, mangia, non dire sciocchezze."

"Dovresti dargli te stessa."

Con mia sorpresa, Jeanne non soltanto non si è ribellata a questa affermazione provocatoria ma l'ha confermata indirettamente, quasi diventando complice a sua volta del nostro complotto: "Non si formalizzi, Mariò. Quando è ubriaca, Alda dice tutto quello che le passa per la testa. Adesso ha nella testa che noi due dovremmo amarci e lo dice."

Il piede scalzo di Alda, morbido, caldo e prensile ha preso a strusciarsi contro la mia caviglia; e in un momento che Jeanne volgeva gli occhi al piatto, ho visto la figlia lanciarmi uno sguardo urgente come ad incitarmi a passare all'azione. Ma sia semplice dimenticanza, sia un principio di ebbrezza, mi sono accorto con costernazione che non ricordavo più i termini esatti del nostro complotto: avevamo convenuto che io invitassi Jeanne a brindare *bruderschaft*, alla maniera tedesca, per segnalare a Alda di toccarmi col piede sotto la tavola? oppure per dissuaderla? In altri termini, Alda doveva intervenire al segnale del *bruderschaft*, oppure star ferma? Intanto la figlia incalzava la madre: "Io non ho niente nella testa. Sei tu che mi ci hai fatto pensare quando, questa notte, mi hai detto che Mario ti piace."

"Sì, l'ho detto; che male c'è?"

"Hai anche detto un'altra cosa: due donne non debbono vivere sole. Ci vuole un uomo."

"Forse ho detto anche questo. Ma che c'entra Mariò? l'ho detto in generale."

"Però, stavamo parlando di lui."

Jeanne ha preso il bicchiere, ha bevuto un lungo sorso, poi, con imprevisto cedimento all'insistenza della figlia, ha ammesso: "Noi due, tu ed io, per motivi diversi, vorremmo che Mariò fosse l'uomo di questa casa, ma secondo me Mariò non vuol diventare l'uomo di nessuna casa."

Rudemente, a queste parole, il piede di Alda è risalito

lungo la mia gamba, premendo con forza contro il polpaccio: "E tu che ne dici, Mario; è vero che non vuoi diventare l'uomo di nessuna casa?"

Preso tra due fuochi, non volendo né dispiacere a Jeanne né smentire Alda, mi sono limitato a pronunziare un cauto: "Dipenderà," a mezza bocca e ho bevuto a mia volta. Jeanne ha subito protestato con imprevisto calore: "Dipenderà da che cosa? In realtà, Mariò, tu sei un uomo che fugge. Da bambino sei fuggito da Roma con tua madre, poi sei fuggito da Parigi per cercare tuo padre, adesso sei fuggito dalla casa di tuo padre per venire qui. Ma domani fuggirai anche dalla nostra casa per andare chissà dove. Sei come Rimbaud, hai le suole di vento."

Con gravità di ubriaca, Alda ha sentenziato: "Se fuggirà anche dalla nostra casa, sarà colpa tua, Jeanne."

"E perché mai?"

"Te l'ho già detto. Vuoi tutto e non dai niente. Neppure una camera da letto decente per dormire."

Mezza distesa sotto la tavola, col piede ormai inserito tra le mie ginocchia, Alda pareva decisa a provocare sua madre. Ma mi sembrava impossibile che Jeanne non si accorgesse della stranezza della posizione sdraiata della figlia; e cominciava ad albeggiarmi nella mente l'idea che la provocazione di Alda non le dispiacesse del tutto. Per crearsi un alibi con lo scopo di respingermi? Oppure per un'inconsapevole (ma quanto inconsapevole?) complicità con Alda in vista di un improbabile rapporto a tre? Oppure ancora: per rivalità con la figlia? Le ipotesi esplodevano via via nella mia mente annebbiata dallo champagne come altrettante bolle di sapone iridate e intatte. Jeanne ha risposto con vivacità: "Non è vero, gli darò una bella camera, quella in cui tu dormi adesso."

"Sì, bella camera! Guarda sul retro del palazzo, su una magnifica distesa di tetti di garage. Perché non gli dai invece la camera del papà?"

"Adesso ricominciamo come stanotte. È proprio una fissazione la tua. Ti ho già detto di no: tu, verrai a dormire in camera mia, lui dormirà in camera tua, e quanto alla camera del papà: ebbene deve restare la camera del papà."

"Io non verrò a dormire da te. Oltretutto mi terresti sveglia tutta la notte per dirmi quanto ti piace Mario. Ma se non te la senti di dare a Mario la camera del papà, almeno spiegagli perché non gliela vuoi dare."

Strusciava con tanta forza il piede contro la parte interna della mia coscia, che per una volta non ho potuto fare a meno di ubbidirle: "Sì, Jeanne perché? Tu dici che è la camera del papà. Non sarebbe più giusto dire: *era* la camera del papà?"

Ho guardato Jeanne. Chiaramente quel volto di solito calmo e razionale aveva adesso un'espressione smarrita: l'espressione di chi, abituato all'uso della ragione, sente ad un tratto che non può più ricorrervi e questo per colpa propria: "Ah, adesso vi siete messi tutti e due contro di me!"

"Ma Jeanne, che dici? vogliamo soltanto sapere perché, avendo una bella camera vuota e inutile, non vuoi farci dormire Mario?"

La voce di Alda suonava canzonatoria e rabbiosa; Jeanne mi ha guardato, ha guardato alla figlia, sdraiata sulla sua seggiola, col petto contro il bordo della tavola e poi ho avuto la curiosa impressione, incerta e fuggevole, che, per un attimo, chiudesse gli occhi come chi si prepara a gettarsi a capofitto nel vuoto. Quindi ha detto con voce tremante: "Hai ragione. Oggi stesso mi aiuterete a togliere la roba. Mariò avrà la sua bella camera."

Così, Jeanne, dopotutto, aveva ceduto. Mi sono subito accorto che le nostre tre posizioni erano improvvisamente cambiate: Jeanne, cedendo, era diventata più forte rispetto a sua figlia che finora l'aveva incalzata. E io, come vincitore, dovevo disfarmi al più presto dell'alleanza superflua e negativa con Alda.

Ho preso la mano di Jeanne e l'ho portata alle labbra: "Grazie, Jeanne, ti ringrazio dal fondo del cuore," e nello stesso tempo, però, ho mosso un poco le gambe, sotto la tavola, come per far capire ad Alda che ormai doveva smettere la sua carezza d'intesa.

Ma Alda ha finto di non capirmi; anzi ho sentito il piede risalire un po' più su, lungo la mia gamba. Intanto, con sospetta prontezza, dava in un grido di giubilo: "Adesso, Jeanne, visto che gli dai la camera, dagli anche un bacio a Mario, un bacio come se foste soli. Un bacio d'amore."

Jeanne si è messa a ridere con aria tentata e lusingata, guardandomi negli occhi come per vedere se io approvavo la proposta. Ma l'enfasi dell'incoraggiamento a baciarci da parte di Alda mi ha insospettito di nuovo. E se invece del complotto tra me e Alda per sedurre Jeanne, ci fosse un complotto tra Alda e sua madre per sedurre me? Oppure, come avevo già pensato, Jeanne fingeva di non accorgersi dell'intervento di Alda per avere un buon motivo più tardi per ritirarsi in tempo? In questa confusione, continuavo a non ricordare se il brindisi alla maniera tedesca dovesse essere un segnale negativo o positivo; se, cioè, avrebbe significato che Alda doveva toccarmi più che mai col piede sotto la tavola oppure non toccarmi affatto. Ma, al tempo stesso, sentivo che il dilemma era ormai sorpassato: la carezza di Alda mi dissociava, proprio come avviene nell'ubriachezza, tra il desiderio e la volontà di reprimerlo. Ho detto bruscamente: "Beviamo insieme, Jeanne, alla nostra amicizia, alla nostra *bruderschaft*."

"Che vuol dire *bruderschaft*?"

"Amicizia, fratellanza. Si intrecciano le braccia e si beve insieme."

Alda ha gridato: "*Bruderschaft*, perché? Non siete amici, siete qualche cosa di più. Baciatevi dunque una buona volta come tutti quanti. Io vuoterò lentamente il bicchiere finché dura il bacio. E poi subito dopo, ne berrò un altro."

Jeanne ha detto con indifferenza: "Alda, sei proprio ubriaca. Allora, Mariò, come si beve *bruderschaft*?"

"Così."

Le ho fatto intrecciare il braccio con il mio, poi abbiamo bevuto guardandoci a vicenda al di sopra dei bicchieri. Alda ha gridato di nuovo: "E il bacio?"

Questa volta Jeanne mi ha sorriso, ha posato il bicchiere sulla tavola, mi ha tolto il bicchiere di mano, mi ha circondato le spalle con il braccio e mi ha teso le labbra. Era il bacio, finalmente, razionale, casto, materno, come lei.

Ma nello stesso momento è successo qualche cosa di assai prevedibile che io, però, mi ero rifiutato sinora di prevedere: ho visto Alda che aveva ormai il tavolo all'altezza del mento, strizzarmi l'occhio nel modo esatto tenuto da mia madre nel sogno, mentre, dimenando, provocante, i fianchi, camminava tra Esmeralda e Alda nel cortile della mia casa di Parigi. Poi, subito dopo, il piede è risalito con decisione lungo la coscia ed è andato a schiacciare con forza il membro, come si schiaccia il pedale dell'acceleratore per far partire una macchina. Le mie labbra hanno sfiorato quelle di Jeanne e nello stesso momento ho eiaculato. Il seme è sgorgato caldo, denso e abbondante con struggente facilità e dolcezza come se fosse traboccato non già nello slip ma nel ventre di una donna che amavo.

È sgorgato per un poco, ha cessato un attimo, ha ripreso; e io non ho potuto fare a meno di dare in un sussulto forte pur tra le braccia di Jeanne. Ho allora provato una curiosa impressione di sdoppiamento come se il bacio non avesse nulla a che fare con l'eiaculazione, né l'eiaculazione con il bacio, che poi era ciò che avveniva in realtà; e per un solo attimo ho sperato infantilmente che anche Jeanne lo pensasse. Ma per Jeanne che aveva certamente intraveduto attraverso la trasparenza della tavola, la manovra di Alda, quel sussulto così violento che non la riguardava, è stata invece la conferma della mia irreparabile freddezza. Si è separata da me, si è chinata un momento a guardare sotto la tavola, poi è balzata in piedi, esclamando: "Io sono di troppo qui," ed è uscita di corsa dal soggiorno.

Immediatamente Alda ha tolto il piede dal mio ventre, si è tirata su dalla seggiola e ha chiesto con la solita innocenza rude e ambigua: “Ma si può sapere che le prende? perché è andata via?”

Ancora stravolto dall’orgasmo, ho risposto con sforzo: “Se non lo sai tu.”

Mi sentivo fradicio all’inguine e tra il turbamento e l’imbarazzo, non riuscivo a capire se Alda si rendeva conto di quello che era successo. Ho detto con rancore: “Eravamo d’accordo che mi avresti fatto piedino soltanto nel caso che Jeanne avesse rifiutato di bere con me alla maniera tedesca.”

Ha ribattuto indignata e infantile: “No, caro, è vero proprio il contrario. Eravamo d’accordo che ti avrei fatto piedino se avesse accettato. Così mentre la baciavi, ti avrei toccato, ti sarebbe diventato rigido e lei avrebbe creduto che era il suo bacio.”

Ho pensato che, alla fine, lei era forse meno ubriaca di me; infatti ricordava la sottile dissociazione tra bacio e desiderio. Mi è venuta improvvisamente una gran rabbia: “Sei una cretina, hai rovinato tutto.”

Ha ribattuto con indifferenza: “Cretino, sei tu; e poi che cosa avrei rovinato?”

“Tutto! Cosa credi, che Jeanne non ti abbia visto?”

“Non lo so e non m’importa nulla. Ma si può sapere che hai?”

“Non ho nulla.”

“Se non hai nulla, che aspetti a raggiungerla?”

“Non so neppure dove sia?”

“Certamente non è andata molto lontano. Vedrai che è nella camera del papà. Ha finto di arrabbiarsi, in realtà ha voluto attirarti lì, per star sola con te. Vacci, che aspetti?”

Alla fine non ho più potuto sopportare questa sua aggressiva ingenuità, vera o falsa che fosse: “Tu mi hai fatto eiaculare nei pantaloni. Ecco quello che è successo.”

“Che vuol dire?”

"Non lo sai, eh! Vuol dire che è come se te ed io avessimo fatto l'amore. E tutto questo, Jeanne lo sa."

"Come se noi due avessimo fatto l'amore! Che bello, non posso crederci." Si è messa a ridere tranquillamente, tra sé e sé; quindi si è alzata: "Non capisco niente di queste cose. Sono davvero troppo piccola."

"Ah sì, troppo piccola! Mi fai ridere!"

"Tu, vai a trovarla nella camera del papà. Io vado a stendermi sul letto. Poi, magari, passi da me e mi dici come è andata."

Barcollando, appoggiandosi ai mobili, è uscita.

Per un poco, sono rimasto fermo davanti alla tavola deserta e in disordine. Riflettevo nel senso letterale della parola, cioè contemplavo dentro di me la mia situazione come si contemplano i frantumi di un oggetto prezioso e fragile sparpagliati in terra. L'umidità appiccicosa del seme rappreso tra la pelle e il tessuto dello slip, mi ricordava che l'irreparabile era ormai davvero accaduto: io avevo fatto l'amore con Alda e Alda aveva fatto l'amore con me. Peggio: quest'amore e il modo con il quale era stato fatto mi impedivano di riparare, poiché la sola riparazione, adesso, sarebbe stata di fare l'amore anche con Jeanne; e questo, come mi rendevo conto, mi sarebbe stato fisiologicamente impossibile. La situazione era apparentemente comica, in realtà triste fino alla disperazione: il miraggio della vita famigliare, casta e affettuosa, che per un poco mi aveva sorriso, spariva; e io provavo la stessa sensazione di impossibilità che mi aveva fatto fuggire dalla casa di mio padre. Quindi, il disagio tutto fisico dell'umidità del seme all'inguine mi ha ridestato alla realtà più modesta e immediata. Mi sono tirato indietro sulla seggiola e ho guardato. Una macchia scura di bagnato, innegabilmente visibile, si allargava sul tessuto azzurro stinto dei blue jeans. Costernato, mi sono detto che non potevo presentarmi a Jeanne con quella macchia così eloquente sui pantaloni. Ma che fare allora? Ho ricordato ad un tratto che avevo un paio di pantaloni di ricambio nella valigia che Alda aveva lasciato nell'anticamera. Non erano blue jeans, è vero; ma a questo punto, pensavo che dipendesse da Jeanne e soltanto da Jeanne di interpretare il cambio dei pantaloni come una mia disperata richiesta di perdono.

Con la felice alacrità di chi passa dal dubbio all'azione, sono uscito di corsa dal soggiorno, sono andato nell'anticamera: ecco la valigia là, nell'angolo. Mi sono chinato e l'ho aperta: ecco i pantaloni di cotone beige chiaro. Li ho tirati fuori e mi sono voltato per cercare la porta del bagno: volevo spogliarmi là dentro; se Jeanne fosse venuta le avrei spiegato che cambiavo i pantaloni perché mi ero macchiato col soufflé.

Ma mi sono trovato di fronte a Jeanne che mi guardava con aria per niente corrucciata, tra paziente e indulgente. Sono rimasto senza parole, sentendomi soprattutto ridicolo, coi pantaloni in mano e quella macchia di bagnato sul ventre. Dolce e inflessibile Jeanne mi ha tolto di mano l'indumento ormai inutile, l'ha buttato di traverso sulla valigia, quindi si è avviata verso la porta della camera matrimoniale: "Vieni, andiamo di qua. Devo parlarti."

Mi ha preceduto, si è seduta sul letto dalla parte del capezzale. Imbarazzato, sono rimasto in piedi, fermo davanti a lei. Mi ha guardato piuttosto a lungo di sotto in su, in maniera singolare, poi ha detto: "Hai ragione, quella macchia si vede veramente un po' troppo. Sarà bene che prima di andartene te li cambi davvero i pantaloni." La frase "prima di andartene" mi ha fatto avere un tuffo al cuore; ma, subito dopo, lei ha avuto un gesto che ha mitigato la mia costernazione: in maniera ghiotta e furtiva, ha teso rapidamente la mano al mio ventre, ha sfregato un attimo le dita contro il tessuto bagnato e poi se le è portate alle narici, annusando con avidità l'odore del seme rimasto nei polpastrelli. Era un gesto in qualche modo bestiale, se è vero, come credo che sia vero, che l'olfatto è il più animalesco dei sensi. E mi sono detto che se l'odore dello sperma, nonostante tutto, l'inebriava, potevo ancora sperare nel suo perdono.

Mi sbagliavo. Jeanne si è subito riavuta da questo momento di sensualità e ha detto, calma e ragionevole: "Se a provocare questa macchia e questo profumo fossi stata io, tutto sarebbe molto semplice, non ti pare? Purtroppo non è così, e tu lo sai, e non c'è bisogno di parlarne. Adesso siediti lì, e stai a sentire."

Mi indicava il letto nel punto in cui si trovava la sua camicia, ben distesa, con le braccia aperte. Ha visto il mio imbarazzo, ha tirato via la camicia: "Non aver paura, non è che una messa in scena." Incuriosito da questa frase sibillina, mi sono seduto sulla sponda del letto, di fronte a lei.

Ha subito ripreso: "Crederai forse che sto per parlarti di Alda. Ma ti sbagli. Ciò che può esservi tra te e Alda è fin troppo chiaro e non è importante. Alda non è che una bambina e tu, secondo le tue stesse parole, sei disponibile per qualsiasi occasione che ti offre la vita. Non è così?"

Ho risposto sicuro di non mentire: "Tra me e Alda non c'è nulla. Credo perfino che lei non ha capito quello che è avvenuto. Voleva soltanto farmi col piede un gesto d'intesa."

"Che però ha avuto su di te un effetto immediato."

"Tu non mi credi?"

Mi ha contemplato con fredda indulgenza: "Sì, ti credo. Ma il punto non è questo. Se era davvero soltanto un gesto d'intesa, tu non l'avresti, diciamo così, contraccambiato. L'avresti respinto, avresti fatto capire a Alda che non doveva accarezzarti nel momento stesso che ti baciavo."

Ho abbassato la testa, confuso. Ha continuato dopo un momento di silenzio: "Ma adesso basta con Alda. Parliamo di me, o meglio di mio marito."

Mi sono meravigliato: che aveva a che fare suo marito con me? Poi ho ricordato la sua frase singolare sulla camera in cui ci trovavamo: "Non è che una messa in scena," e mi sono detto che probabilmente era proprio così: suo marito aveva a che fare con lei, lei con Alda, Alda con Esmeralda, Esmeralda con mio padre, mio padre con mia madre, mia madre con me e io con tutti e con nessuno.

Ha ripreso dopo un momento: "Potrei adesso, magari, nonostante il tuo stato deplorevole, aspettare che ti riabbia per finire di darti quel bacio che Alda ha interrotto. Ma purtroppo è impossibile. Il genere di rapporto che c'era tra mio marito e me può forse farti capire che tra noi due tutto è finito prim'ancora di cominciare."

Ho avuto di nuovo un tuffo al cuore, come poco fa quando aveva detto: "Prima di andartene." Ho balbettato: "Per me, niente è finito."

"Per te, no, ma per me, sì. Ecco perché: ho amato molto mio marito. Mi tradiva praticamente con tutte le donne appena passabili in cui si imbatteva; io cercavo di liberarmi dal mio sentimento per lui e non ci riuscivo. In realtà, l'amavo perché non mi amava; e lui non mi amava perché l'amavo. Lui occupava tutta la mia vita con la sua presenza ossessiva; io, nella sua vita, semplicemente non c'ero."

"Forse ti sbagliavi."

"No, non mi sbagliavo. Questo non vuol dire, però, che fossi cieca su di lui. Tutt'altro: lo vedevo con tutti i suoi difetti che erano molti e brutti. Ma quando si ama, a quanto pare, si amano anche i difetti, anzi soprattutto quelli. Non cessavo un momento di definirli ed elencarli mentalmente; la mia mente era un tribunale che continuamente lo giudicava e continuamente lo condannava. Ma non c'era niente da fare. Bastava che lui mi facesse un fischio e io subito accorrevo, tutta scodinzolante, come un cane che non può fare a meno del padrone che lo prende a calci. Era un uomo spregevole; io lo sapevo e l'adoravo."

Ho obiettato, imbarazzato da questa sua razionale e gelata veemenza: "Possibile che non avesse qualche qualità."

"Nessuna. Era un uomo che disprezzavo con tutto l'animo. Ma, chissà come, lui riusciva a disprezzare me molto più di quanto disprezzassi lui. Dico: chissà come. In realtà, lo so."

"E cioè?"

"Aveva molta fortuna con le donne; dopotutto, forse, questa è una qualità. Mi disprezzava perché per lui non ero che una donna come le altre, peggio, una moglie. Naturalmente, ho provato a tradirlo; ma non ci sono riuscita. Sono fedele per natura; gli altri uomini non mi interessavano."

Ho dato fiato alla mia curiosità; ho indicato la camera: "Una cosa sola non capisco. Se il vostro rapporto stava in questo modo, alla sua morte avresti dovuto sentirti liberata. E invece hai continuato ad amarlo. Questa camera lo dimostra."

"La sua morte mi ha liberata di lui ma non della dipendenza da lui."

"Che vuoi dire?"

"Dipendo da lui nel senso che ho paura. Ho paura di amare senza essere amata. Ho paura che con un altro si ripeta l'orribile rapporto che ho avuto con lui. Così, quando è morto, ho giurato a me stessa che l'amore era finito, che non avrei mai più amato nella mia vita. Questa camera non è tanto l'espressione di un dolore che pure c'è stato, ma di un terrore che continua ad esservi. E infatti, come ti ho detto poco fa, è soprattutto una messa in scena per convincere gli uomini che ogni tanto vorrebbero che li amassi, dell'inutilità dei loro sforzi e del fatto che sono una vedova davvero inconsolabile."

"Ma perché inconsolabile?"

"Come potrei non esserlo? Se non altro, si è portato via la mia giovinezza. Ma hai mai pensato che un marito morto può costituire una protezione e un alibi né più né meno che un marito vivo?"

"Così tu non vuoi più amare né essere amata?"

"No, assolutamente, no. Ho quarant'anni, dieci anni passano presto. Tra dieci anni ne avrò cinquanta, sarò una donna anziana, gli uomini non vorranno più saperne di me, sarò salva."

"Se tu non ti fossi accorta che Alda mi premeva il piede, forse adesso..."

"Ti amerei; può darsi. Sei il contrario di mio marito: dolce, comprensivo, timido, intelligente, persino poeta! Può darsi. Ma per fortuna mi sono accorta del cosiddetto gesto d'intesa tra te e Alda. Se non me ne fossi accorta, mi sarei trovata domani nella mia solita situazione di amare chi non mi ama e di non essere amata da chi amo. Per giunta da un uomo che al più presto sarebbe diventato l'amante di mia figlia. No, grazie tanto."

Parlava con voce fredda e secca; ha fatto un gesto sgradevole di rigetto che mi ha ricondotto alla realtà della mia situazione. Ho smesso di pensare a lei; ho pensato a me stesso; e un sentimento di desolazione mi ha invaso l'animo. Mi sono sentito abbandonato e, una volta di più, forse definitivamente, orfano.

"E io come farò?"

"Farai che te ne andrai. Non hai ancora disfatto la valigia. Prendila e va' all'aeroporto. Torna a Parigi; una volta a Parigi, vedrai che sarai contento di esserci tornato."

Impetuosamente, mi sono gettato ai suoi piedi, le ho abbracciato le ginocchia: "Mettimi alla prova. Facciamo come se non fosse successo nulla. Adesso torniamo di là, mangiamo il dessert con Alda, poi io metto la mia roba nella camera che mi assegnerai e così comincerà il primo giorno della nostra vita insieme."

Mi ha respinto puntandomi la mano sulla fronte, cercando di allontanarla: "Adesso tirati su, non fare il bambino."

Il bambino! Sì, ero effettivamente un bambino disperato mentre indugiavo con la testa sulle sue ginocchia e gli occhi spalancati nel buio caldo e profondo del suo grembo. Ha soggiunto: "Alda ti aspetta nella sua stanza. Vai a salutarla, le farà piacere. Non c'è motivo che tu non ci vada."

Forse avrei dovuto insistere, chissà. Ma ero ubriaco, stremato e probabilmente già tentato dalla nuova disponibilità che il suo rifiuto mi prospettava nel futuro. Mi sono rialzato, confuso e stordito, le ho sfiorato la fronte con le labbra, sono uscito.

Sono andato direttamente alla camera di Alda, ho trovato la porta socchiusa, sono entrato. Alda stava distesa sul letto. La camera era lunga e stretta, con il letto contro la parete e una scrivania in fondo, di fronte alla finestra aperta attraverso la quale si scorgeva la facciata piena di balconi fioriti di una palazzina. Su una mensola sospesa sul letto, stavano allineati animali di stoffa, bambole con gli occhi spalancati, fantocci con le braccia tese.

Al mio ingresso, Alda non si è mossa; teneva un braccio sugli occhi; pareva non tanto dormire quanto riflettere. Mi sono seduto sulla sponda del letto, accanto a lei, le ho preso il polso, le ho tolto il braccio dagli occhi. Allora ho visto che erano gli occhi di un'ubriaca, al tempo stesso immobili e incapaci di guardare. Ho detto: "Alda, sono Mario."

Ha sorriso, incerta: "Lo vedo che sei Mario. Lo sai a che cosa stavo pensando adesso?"

"A che cosa?"

"Non mi hai forse detto che tua madre si chiamava Dina?"

"Sì, era il diminutivo di Leopoldina."

"Mi è venuto in mente un gioco di parole. La donna che sposerà tuo padre si chiama Esmeralda, non è vero? e io mi chiamo Alda, no? E tua madre si chiamava Dina, non è così? Dunque: Esmeraldina. Nel diminutivo Esmeraldina ci siamo tutte e tre: Esmeralda, Alda e Dina."

"Che vuol dire questo?"

"Nulla, è un gioco di parole. Ma adesso, lasciami, voglio dormire. A proposito, com'è andato con Jeanne?"

"Benissimo."

D'improvviso si è levata a sedere e mi ha gettato le braccia al collo: “Così, d’ora in poi, sarai il mio papà. Formeremo una famiglia, saremo felici.”

“Sì, saremo felici.”

Sono uscito dalla camera, sono andato nel vestibolo. Ecco la valigia, con l’inutile paio di pantaloni di ricambio gettato di traverso. Ho chiuso i pantaloni nella valigia e sono uscito dalla casa.

Pochi minuti più tardi, guidavo la Mercedes in direzione dell’aeroporto. Di lì avrei telefonato a mio padre che avrebbe trovato la macchina nel parcheggio. Poi mi sarei imbarcato nel primo aereo in partenza per Parigi. Il viaggio a Roma era finito.

INDICE

TASCABILI BOMPIANI:
Ultimi titoli:

284 **Morselli** Divertimento 1889
285 **Festa Campanile** Il peccato
286 **Bigiaretti** Carlone
287 **Shaw** Sera a Bisanzio
288 **Fromm** La rivoluzione della speranza
289 **Caldwell** Vento sul fienile
290 **Schnitzler** Il ritorno di Casanova
291 **Allen** Effetti collaterali
292 **Vidal** Myra Breckinridge
293 **Eliot** Assassinio nella cattedrale
294 **Roth J.** La milleduesima notte
295 **Cardinal** In altri termini
296 **Moravia** Racconti surrealisti e satirici
297 **Berne** A che gioco giochiamo
298 **MacLean** Agguato al Passo del Nibbio
299 **Eliot** Poesie
300 **Sagan** Le piace Brahms?
301 **Walser** I fratelli Tanner
302 **Marotta** L'oro di Napoli
303 **Moravia** Io e lui
304 **Patti** Un bellissimo novembre
305 **Nisbett** La vita di Konrad Lorenz
306 **Roth J.** Giobbe
307 **Alvaro** L'uomo nel labirinto
308 **Sartre** L'età della ragione
309 **Steinbeck** La corriera stravagante
310 **Waugh** Misfatto negro
311 **De Angulo** Racconti indiani
312 **Böll** Termine di un viaggio di servizio
313 **Caldwell** Casa sull'altopiano
314 **Zavattini** La veritàaaa
315 **Altan** Alla deriva, Cipputi!
316 **Waugh** Una manciata di polvere
317 **Conrad** L'agente segreto
318 **W. von Sacher-Masoch** Le mie confessioni
319-320 **Moravia** I racconti 1927-1951
321 **Wright** Paura
322 **Güiraldes** Don Segundo Sombra
323 **Festa Campanile** Nonna Sabella
324 **Zavattini** I poveri sono matti
325 **Collodi** I racconti delle fate
326 **Zavattini** Io sono il diavolo / Ipocrita 1943
327 **Highsmith** Diario di Edith
328 **Melville** Billy Budd

329 **Trumbo** E Johnny prese il fucile
330 **Blixen** Racconti d'inverno
331 **Hoffmann-Dukas** Einstein
332 **Conrad** L'avventuriero
333 **Zavattini** Ligabue
334 **Kawabata** Il suono della montagna
335 **Ward** La fossa dei serpenti
336 **Camus** Caligola
337 **Moravia** 1934
338 **Parker** Il mio mondo è qui
339 **Puškin** La figlia del capitano
340 **Fava** Gente di rispetto
341 **Roth** Tarabas
342 **Mann** Racconti
343 **Bretécher** I frustrati
344 **Governi** Nannarella
345 **Defoe** Moll Flanders
346 **Altan** Senza rete, Cipputi!
347 **Conrad** Nostromo
348 **Brancati** Diario romano
349 **Festa Campanile** La ragazza di Trieste
350 **Böll** Dov'eri, Adamo?
351 **Groddeck** Il linguaggio dell'Es
352 **Festa Campanile** Conviene far bene l'amore
353 **Alvaro** L'uomo è forte
354 **Zavattini** La notte che ho dato uno schiaffo a Mussolini
355 **Sakharov** Il mio paese e il mondo
356 **Pirsig** Lo zen e l'arte della manutenzione della motocicletta
357 **Sartre** Le mosche / Porta chiusa
358-359 **Vittorini** Americana
360 **Brancati** La governante
361 **Roth** Il mercante di coralli
362 **Morandini** ...E allora mi hanno rinchiusa
363 **Cella** Yoga e salute
364 **Bioy Casares** L'invenzione di Morel
365 **Cardinal** La chiave nella porta
366 **Bretécher** Frustrati 2
367 **Zavattini** Poesie
368 **Moravia** La mascherata
369 **Ceronetti** Il cantico dei cantici
370 **Vidal** Myron
371 **Tanizaki** Due amori crudeli
372 **Blixen** Ultimi racconti
373 **Bertoldi** Umberto
374 **Manzoni** Storia incompiuta della rivoluzione francese
375 **Svevo** La coscienza di Zeno
376 **Aśvaghosa** Le gesta del Buddha
377 **Lewis-Artaud** Il monaco
378 **Altan** Gioco pesante, Cipputi!
379 **Eco** Lector in fabula
380 **Colette** Il puro e l'impuro

381 **Svevo** Senilità
382 **Eliot T.S.** Assassinio nella cattedrale
383 **Manzoni** Storia della Colonna infame
384 **Artemidoro** Il libro dei sogni
385-386 Poesia Francese del Novecento a cura di **Accame**
387 **Wedekind** Lulu
388 **Hesse** Peter Camenzind
389-390 **Dickens** Il circolo Pickwick
391 **AA.VV.** Fame
392 **Groddeck** Lo scrutatore d'anime
393 **Canetti** La lingua salvata
394 **Réage** Ritorno a Roissy
395 **Enna** La grande paura
396 **Roth J.** Il profeta muto
397 **Yourcenar** Moneta del sogno
398 **Highsmith** Il grido della civetta
399 **Poe E.A.** Racconti
400 **Blake** Libri profetici
401 **Graves** Jesus Rex
402 **Eco** Sette anni di desiderio
403 **Barnes** La passione
404 **Zavattini** Gli altri
405 **Berne** Fare l'amore
406 **Brown** La vita contro la morte
407 **Stevenson** Il dottor Jekyll e il signor Hyde
408 **Bretécher** I frustrati 3
409 **Gurdjieff** Incontri con uomini straordinari
410 **Origo** Guerra in Val d'Orcia
411 **Colette** Il mio noviziato
412 **Asuni-Gurrado** Gli sdrogati
413 **Altan** In diretta, Cipputi!
414 **Cardinal** Nel paese delle mie radici
415 **Canetti** La provincia dell'uomo
416 **Moravia** L'inverno nucleare
417 Vita di Milarepa a cura di **Bacot**
418 **Collange** Voglio tornare a casa
419 **Ferrari** Come operare in borsa
420 **Pozzoli** Scrivere con il computer
421 **Nardelli** Pirandello, l'uomo segreto
422 **Lernet-Holenia** Marte in ariete
423-424 **AA.VV.** Narratori giapponesi moderni
425 **Roth J.** Confessione di un assassino
426 **Cardinal** La trappola
427 **Yourcenar** Ad occhi aperti
428 **Amado** Terre del finimondo
429 **Barnes** La foresta della notte
430 **Tanizaki** Diario di un vecchio pazzo
431 **Canetti** Il frutto del fuoco
432 **Degli Esposti-Maraini** Storia di Piera
433 **Venè** La notte di Villarbasse
434 **Kraus** Detti e contraddetti
435 **Waugh** Ritorno a Brideshead

436 **Wittgenstein** Lezioni e conversazioni
437 **Asuni-Gurrado** Mamma eroina
438 **Altan** Aria fritta, Cipputi!
439 **Faulkner** Bandiere nella polvere
440 **Svevo** Una vita
441 **Moravia** La cosa
442 **Donoso** L'osceno uccello della notte
443 **Cibotto** La coda del parroco
444 **Stephens** La pentola dell'oro
445 **Leibowitch** AIDS
446 **Bretécher** I frustrati 4
447 **Hersey** Hiroshima
448 **Prišvin** Ginseng
449 **AA.VV.** I ragazzi della strada
450-451 Poeti ispanoamericani del Novecento a cura di **Francesco Tentori Montalto**
452 **Eco** Sugli specchi e altri saggi
453 **Lernet-Holenia** Il conte di Saint-Germain
454 **Nin** D.H. Lawrence
455 **Roth J.** Romanzi brevi
456 **Malcolm** Ludwig Wittgenstein
457 **Cioran** La tentazione di esistere
458 **Madox Ford** Il buon soldato
459 **Wells** L'uomo invisibile
460 **Canetti** Massa e potere
461 **Verga** I Malavoglia
462 **Camus** Il rovescio e il diritto
463 **Morselli** Un dramma borghese
464 **Altan** Pioggia acida, Cipputi!
465 **Cardinal** Una vita per due
466 **Tao Tê Ching** a cura di J.J.L. Duyvendak
467 **Sade** Gli infortuni della virtù
468 **Bachmann** Il trentesimo anno
469 **Mack Smith** Cavour
470 **Hofmannsthal** Il libro degli amici
471 **Cibotto** Scano Boa
472 **Pareyson** Estetica
473 **Mereu** Storia dell'intolleranza in Europa
474 **Briggs** Visitatori notturni
475 **Blixen** I vendicatori angelici
476 **Wolfe** Maledetti architetti
477 **Savinio** Ascolto il tuo cuore, città
478 **Bufalino** L'uomo invaso
479 **Calasso** La rovina di Kasch
480 **Godechot** La Rivoluzione francese
481 **Ferrucci** Lettera a me stesso ragazzo
482 **Klossowski** Il Bafometto
483 **Canetti** Le voci di Marrakech
484 **Bigiaretti** Esterina
485-486 **Hampson** Robespierre-Danton
487 **Cochin** Lo spirito del giacobinismo

488 **Roth Ph.** La mia vita di uomo
489 **Verga** Mastro Don Gesualdo
490 **AA.VV.** Sfida all'uomo
491 **Simenon** Le finestre di fronte
492 **Saikaku** Cinque donne amorose
493 **Bierce** Racconti neri
494 **Canali** Latini in sogno
495 **Altan** Guida a destra, Cipputi!
496 **Lernet-Holenia** La resurrezione di Maltravers
497 **Morandini** I cristalli di Vienna
498 **Bachmann** Tre sentieri per il lago
499 **Roth J.** Zipper e suo padre
500 **Sciascia** La strega e il capitano
501 **Jünger** Un incontro pericoloso
502-503 Scrittori ebrei-americani a cura di **Mario Materassi**
504 **Lilli** Zeta o le zie
505 Fiabe popolari romene a cura di **Marin Mincu**
506 **Zorzi** La vita a metà
507 **Balestrini** Gli invisibili
508 **Romano** Giovanni Gentile
509 **Kipling** Racconti del mistero e dell'orrore
510 **Manzoni** I Promessi Sposi
511 **Walpole** Il castello di Otranto

TASCABILI BOMPIANI
Periodico settimanale anno X numero 149 - 12/11/1990
Registr. Tribunale di Milano n. 269 del 10/8/1981
Direttore responsabile: Giovanni Giovannini
Finito di stampare nell'agosto 1990 presso
la Milanostampa S.p.A. - Farigliano (CN)
Printed in Italy